沟通的艺术

别输在不会表达上

刘文华　编著

团结出版社

图书在版编目（CIP）数据

别输在不会表达上 / 刘文华编著 . -- 北京：团结
出版社 , 2019.4
　　（沟通的艺术）
　　ISBN 978-7-5126-6977-2

　　Ⅰ . ①别… Ⅱ . ①刘… Ⅲ . ①心理交往－语言艺术－
通俗读物 Ⅳ . ① C912.11-49

中国版本图书馆 CIP 数据核字（2019）第 082322 号

出　　版：团结出版社
　　　　　（北京市东城区东皇城根南街 84 号　邮编：100006）
电　　话：（010）65228880　　65244790（传真）
网　　址：www.tjpress.com
E - mail：zb65244790@vip.163.com
经　　销：全国新华书店
印　　刷：三河市燕春印务有限公司

开　　本：145mm×210mm　　32 开
印　　张：6 印张
字　　数：110 千字
版　　次：2019 年 4 月　　第 1 版
印　　次：2019 年 4 月　　第 1 次印刷

书　　号：978-7-5126-6977-2
定　　价：29.80 元

前　言

　　语言是人类所使用的最有效果的药方。无论是在工作上还是在生活中，那些表达能力强的人往往能让与他交往的人感受到愉悦，他们通常人缘好，与同事相处得融洽，深受领导赏识，获得升迁的概率比较大。反之，那些表达能力不是很好的人往往默默无闻，被人无视，有时甚至因为说错话而得罪人。

　　著名学者周国平曾说过："世上的确有一种人，嘴是身上最发达的器官，无论走到哪里，几乎就只带着这一种器官，全部生活由说话和吃饭两件事构成。"仔细观察你就会发现，这世上的成功人士至少有一半用舌头去创造成功的人生。三国时期的著名军事家诸葛亮凭借三寸不烂之舌打天下、吓敌军；现代企业家据理力争，为自己的企业迎来多轮融资，一次次创造辉煌！这些成功人士的共同点就是善于表达，被社会认同，受下属热爱。

　　毫无疑问，语言表达能力的强弱关系着人生能否成功。既然表达能力对一个人的未来发展有这么大影响，那么我们怎么才能拥有它呢？

　　其实，大部分人都有语言表达能力，只是你从未认真发掘过它，不知道如何使用它，才会把它埋没，让它不能在生活中充分发挥自己的作用。

如果你不想让自己输在不会说话上，就必须重视内心世界的经营和知识的扩充，用风趣儒雅的谈吐滋养自己，让自己由内而外地焕发光彩。善于表达的人总是深谙说话之道，他们知道在什么场合、面对什么样的人说什么话、该怎么说。

在当今社会，会说话已经成为一种竞争力，是生存的需要、事业的需要、感情的需要，也是走向幸福美好生活的捷径，它甚至比一副好皮囊更重要。

本书总结了一整套受欢迎的表达方式，包括礼貌、平和、微笑、倾听、得体的肢体语言等，掌握这些技巧，再面对交谈对象时就能做到妙语连珠、沁人心脾。

最后，衷心祝愿所有阅读本书的朋友都能掌握说话的艺术，成为一个真正会表达的人！希望本书能带给你与众不同的体验！

目　录

第一章
产生共鸣的话：才能走进对方的心

　　有的人，说出来的话很漂亮，却不能走进人心；有的人，寥寥几句朴实的话语，就能打动人心。当你了解对方心理时，再表达自己的观点，如同锦上添花、雪中送炭，让对方心旷神怡的同时增进彼此的关系。

以诚相待，才是打动对方的诀窍

真诚的语言，不论对说话者还是对听话者来说，都至关重要。说话的魅力，不在于说得多么流畅，多么滔滔不绝，而在于是否善于表达真诚。最能推销产品的人，不见得一定是口若悬河的人，而是善于表达自己真诚情感的人。

在说服对方时，用真诚的态度，会招人喜欢，易于被人接纳。入情入理的话，一方面显示说服者坦诚的态度；另一方面又尊重对方并为对方着想。这样无论在交易原则上，还是在人的情感上都进行了沟通，达成了共识，促使合作成功。

当松下电器公司还是一个乡下小工厂时，作为公司领导，松下幸之助总是亲自出门推销产品。每次在碰到砍价高手时，他总是真诚地说："我的工厂是家小厂。炎炎夏日，工人们在炽热的铁板上加工制作产品。大家汗流浃背，却依旧努力工作，好不容易才制造出了这些产品，依照正常的利润计算方法，应该是每件……"

听了这样的话，对方总是开怀大笑，说："很多卖方在讨价还价的时候，总是说出种种不同的理由。但是你说得很不一样，句句都在情理之中。好吧，我们就按你开出的价格买下来好了。"

松下幸之助的成功，在于真诚的说话态度。他的话充满情感，描绘了工人劳作的艰辛、创业的艰难，唤起了对方深切的同情，也换来了对方真诚的合作。

我们与人交谈时，秉持着一颗"至诚的心"，不流于巧言令色、油嘴滑舌，适当将自己最好的一面通过"说话"表达出来，才能建立良好的人际关系，使自己融入群体之中。

罗马诗人帕利里亚斯·赛洛斯说过："当别人真诚地对待我们的时候，我们也要真诚地对待他们。"真正站在对方的立场上，为对方着想，并全面分析对方的利弊得失，说话真诚，语气亲切随和，不卑不亢，入情入理，这是成功打动对方的诀窍所在。

说话如果只追求外表漂亮，缺乏真挚的感情，开出的也只能是无果之花，虽然能欺骗别人的耳朵，却永远不能欺骗别人的心。一位著名演说家曾说："在演说和一切艺术活动中，唯有真诚，才能使人怒；唯有真诚，才能使人怜；唯有真诚，才能使人信服。"

与人交谈，贵在真诚。只有你与人交流时能捧出一颗恳切至诚的心，一颗火热滚烫的心，才能让人感动，才能动人心弦。

美国总统林肯就非常注意培养自己说话的真诚情谊。他说："一滴蜂蜜要比一加仑胆汁能吸引更多的苍蝇。人也是如此。如果你想赢得人心，首先就要让他相信你是他最真诚的朋友。那样，就会像一滴蜂蜜吸引住他的心，也就是一条坦然大道，通往他的理性彼岸。"

林肯在一次竞选辩论中曾说："你能在所有的时候欺骗某些人，也能在某些时候欺骗所有的人，但你不能在所有的时候欺骗所有的人。"这句著名的格言，成为林肯的座右铭，对于我们也有借鉴之处。

如果能用得体的语言表达你的真诚，你就能很容易赢得对方的信任，与对方建立起信赖关系，对方也可能因此喜欢你说的话，轻易答应你提出的要求。

人与人之间，无论是雇主关系，还是朋友关系；无论是亲戚还是顾客，相互之间都应真诚相待。那么，我们该如何换来他人对我们的真诚呢？答案很简单，只有七个字，那就是：用真诚换取真诚。

拳王阿里因为年轻时不善于言辞而影响了自己的知名度。一次，阿里参赛时膝盖受伤，观众大失所望，对他的印象更加不好了。当时，阿里并没有拖延时间，而是要求立即停止比赛。阿里对此解释说："膝盖的伤还不至于不能进行比赛，但为了不影响观众看比赛的兴致，我请求停赛。"

在这之前，阿里并不是一个多有人缘的人，但是由于他对这件事的诚恳解释，观众开始对他产生良好的印象。他为了顾全大局而请求比赛暂停的真诚，是在替观众着想，由此也深深地感动了观众。

阿里以一句发自内心的真诚之语挽回了观众对自己的不良印象，也换来了观众对他的支持与喜爱。一个人能成功，很多时候并不在于他能滔滔不绝地吹嘘自己，而是他能为他人着想，关心他人的利益，用自己的真诚换来他人的信任。

这样表达最有效

没有人乐意与虚伪奸诈之人深交。人们都希望对方能真诚对待自己，而真诚相待是相互的，你若想要别人真诚对待你，就要从真诚对待别人做起。

不失时机地赞美，拉近彼此的距离

有位生性高傲的企业家，一般陌生人很难接近他。他生硬冷漠的面孔常使人望而却步。

有个外地来的推销员听说了他的脾气，一见面就微笑着递上一支烟说："处长，一进门就有人告诉我，处长是个爽快人，办事认真，富有同情心，特别是对外地人格外关照。我一听，高兴极了。我就爱和这样的领导共事，痛快!"

企业家的脸上立刻露出一丝笑容。推销员接下来谈正事，果然大见成效。

赞美往往能拉近彼此的距离，不管双方是否相识，也无论男女老少、尊卑贵贱，其实都喜欢被人赞美。渴望得到别人的赞美是人的天性。赞美能带给他人成就感和自信心，是一种接近他人的有效方法。

生活中，我们曾见过不恰当的颂扬和奉承，激起的只是对方的疑虑甚至厌恶。诚如雨果所言："我宁可让别人侮辱我的好诗，也不愿别人赞美我的坏诗。"因此，赞美也要恰当，做到恰如其分，要讲究艺术和技巧。

有的人不喜欢别人赞美他显而易见的优点，因为他认为这些优点是很自然的事情，没有必要加以恭维。相反，如果是赞美他不为人知的优点，他会很有成就感，会感到十分受用。

著名记者弗里德·凯利说："对洛克菲勒这位石油大王，倘若有人称赞他善于打理琐碎的家庭经济，他一定会乐不可支。同时，他也很喜欢听人家说他对教会和主日学堂是怎样地热心。"

一次，在凯利向主日学堂里的一群小孩子发表的谈话中，说了两句赞美洛克菲勒的言辞时，他立刻变得非常兴奋。

这些便是洛克菲勒个人所关心的独特的虚荣。相反，如果有人当面赞美他的商业和领袖才能，在他听来反而会觉得没有诚意甚至是愚蠢的。

赞美别人并非是不讲原则，否则，就有阿谀奉承之嫌了。真正明智之人对于无休止的恭维和艳羡也并不喜欢。我们绝对不可以随随便便地恭维别人。对于那些摸不清底细的人，最好是慢慢地深入了解，等到找出他们喜欢的赞扬方式，再使用这一策略也不迟。

在与人交往的过程中，恰当地运用你的赞美，你会发现人们是那么尊重与欢迎你，你也会因此获得许多朋友。

赞美不是献媚。赞美的目的是帮助别人发现自身的价值，获得一种成就感。赞美是发自内心的欣赏，赞美与献媚的动机完全不同，献媚是为一己私利骗取他人的信任，而赞美则是发自内心的真实情感体验的表达。赞美可以消除彼此之间的隔阂，加深彼此之间的关系。赞美是赠给别人的一缕阳光，献媚是为他人设下的陷阱。

赞美和献媚有本质的不同，但就外在的表现方式来看，二者常常被人混淆。故而赞美应该讲究策略，如果策略运用不当，使人误将赞美认为是献媚，就远远背离我们的初衷了。

在赞美别人时，考虑到以下几个方面会得到更好的效果。

（1）背后赞美是一种至高的技巧

在各种恭维的方法中，背后称赞人是一种至高的技巧，也是最使人高兴、最有效方法。你很欣赏某个人时，可以将赞美他的话跟一个与他熟悉的人讲，过不了多久，你的赞美之词就会传到他的耳朵里。这样一来，他会对你产生好感，也会更加信任你的赞美是发自肺腑的。

（2）"先否定，后肯定"的赞美效果更好

很多人在赞美别人的时候只是平铺直叙，效果有限。如果尝试采取从否定到肯定的赞美方法，也许效果会更好。比如，一般评价人时常说"我佩服别人，也一样佩服你"；从否定到肯定的评价则是

"我很少佩服别人，你是例外。"

（3）借助他人之口的赞美更让人信服

借助别人之口，间接地赞美人是非常有效的赞美手段，它会使人相信，你是真心实意地，也是发自内心地认可他、欣赏他。

在聚餐的时候，你碰到以前的同学，这位同学事业有成，春风得意。你说："你现在这么有钱，身边肯定有不少女孩子吧。"这些话不但显得你没有内涵、势利，还可能引起误会。不妨这样说："听说你刚开了一家公司，大家都说你能力强。祝贺你啊！"你用别人的话带出你的赞美和鼓励，这样不但能明确地传达你的意思，还能使对方自然而然地接受赞美。

（4）夸人夸到点子上才能事半功倍

夸人夸到点子上，有时候能起到双倍的赞美效果。

去公园遛弯，你看了老同学，她正抱着孩子看广场上的风筝。你说："嗨，老同学，好久不见，还是那么漂亮。"其实这个时候她刚生完孩子，身材臃肿，面容暗黄，听到你这话可能略微开心，但更可能觉得你虚伪。你不妨说："这是你家宝宝吗？真的好可爱！"那么她一定会乐得合不拢嘴，要知道，夸赞一个孩子远比夸赞那位妈妈本身更让她开心。

（5）称赞不被人注意的地方效果会更好

常言道："好话听三遍，听了鬼也烦。"大家总是很容易注意到别人的一技之长，赞美其专长的人自然最多，而你如果再"锦上添花"就显得可有可无了。比如，一位美女天天都听别人夸她漂亮，她自己心里总会觉得没趣。你不如换个角度，仔细地观察一下她一些不被人注意、可她本人又很在意的地方，然后进行称赞，效果会更好。

（6）公开的赞美能满足虚荣心和荣誉感

批评要在私底下批评，而赞美却要在众人面前称赞，要让周围的人都知道你十分欣赏和肯定他的所作所为，让周围的人都不得不一起称赞他，满足他的荣誉感和自尊心。

这样表达最有效

赞美别人，可以使对方获得满足感、自尊心和自信心，为你们营造融洽的关系，建立良好的沟通平台。

关注对方的感受，才能打破沟通障碍

每个人都有被尊重和被认同的需求。人们是否感受到自己被尊重、被认同，很大程度上取决于自身的感受有没有被人关注。

如果你爱上一个人，你就会对她的感受和情绪非常敏感，想尽办法让她时时刻刻都感觉到你很关心她，在乎她。如果你对着一个陌生人，根本就不会注意他，也就不会关注他的感受。

一家公司有设立了两个销售部。

甲销售部的一个销售人员问自己的部门主管："我每天都努力工作，为什么总找不到顾客？"

主管很不耐烦地回答说："如果这么容易找到顾客，我还要找你干什么？"

销售人员听完后没有说话，心里很沮丧。

乙销售部的一个销售人员也问自己的部门主管："我每天都努力工作，为什么总找不到顾客？"

主管拍拍销售人员的肩膀，说："好问题！这说明你是一个既勤快又爱思考的人，遇到这样的困惑，你是怎么想的？"

销售人员沉思了一会儿，说："我想，也许是我对顾客不了解，总是发现不了他们的需求。"

主管又问："那你有没有什么办法呢？"

销售人员想了想，顿悟道："明白了，我知道该怎么做了。谢谢您！"

主管满意地点了点头。

关注对方的感受，才是真正地尊重对方、重视对方。只有关注对方感受，才能让对方从心里接受你，信任你，愿意听取你的意见和建议。关注对方的感受是一把钥匙，能够打开与人交往的大门。

如果我们不去理会他人的感受，也不理解他人的想法，就容易让对方感觉不舒服。即使是自己认为快乐、幸福的东西，如果不考虑对方是不是喜欢，愿不愿意接受，就强加于人，对方往往是不会领情的。

在现实生活中，人们的感受常常不容易被发现。有时，人们还会把自己的感受刻意隐藏起来。这是人们保护自己的习惯，也成为交往的阻碍。我们也只有关注对方感受，才能打开对方的心门。

被尊重就像空气和水一样时刻被需要，无论谁都如此。这种需求并不会因为年龄增长、感情加深、关系密切而减少，相反，这种需求会更强烈。

当你和很熟悉的人相处，开始觉得"无所谓"时，你要有一种"紧张感"：提醒自己时刻关注他的感受，千万不要"口无遮拦，语出伤人"。

当你尊重和认可了他人，你会收获很多。比如，事情进展得更顺利，节省更多的时间，减轻更多的压力。同时，你会乐于聆听别人的意见，获得更多启发或方法，增加更多成功的可能性，也会为你赢得他人的尊重与认可。

每个人的一生都会面对许许多多的陌生人。对于我们的亲人、朋友付出关心并不难，然而，要对陌生人付出关心，就不是一件简单的事情了。但是，关心对方才能赢得对方，才能打破沟通的障碍。

"魔术之王"塞斯顿，前后周游世界数十年，一再创造出各种幻象，令观众如痴如醉、惊奇不已，受到数千万人的欢迎，获得了巨大的成功。

塞斯顿说，不是他的魔术知识高人一等。他认为关于魔术的书已经有几百种，而且有相当多的人知道的魔术同他一样多，但他却有其他人所没有的独到的优点：他在舞台上能够展现自己的个性，有打动观众的独特风格。

塞斯顿是一位表演天才，了解人类的天性。他的每个手势、每种声调、每一次提起眼眉，都是提前演习好了的，因而他的每一个动作也都配合得天衣无缝。更为重要的是，塞斯顿真心关心观众的感受，能够为观众付出所有的热情。

有些技艺高超的魔术师认为观众是一群笨蛋，能够被自己骗得团团转。但是，塞斯顿却完全不那样认为。他每次上台时，都会对自己说："感谢这些人看我的表演，是他们使我过上了舒适的生活。我一定要尽力为他们演出最好的节目。"塞斯顿就是这样一位用关心赢得观众喜爱的艺术家。

实际上，如果你能够真心实意地关心别人，那么你的生活将顺利很多，别人对你的帮助必将使你大为受益。

在生活中，大多数人往往苦叹不知如何与陌生人消除彼此的隔阂，进而使双方熟悉，开始交往。每个人都想博得他人的关心与认可，但是却忽略了对别人的关心与认可，结果也没人关心自己。人与人之间的关系是相互的。你敬我一尺，我就敬你一丈。你不关心别人，别人也不会关心你。

假如你只想让别人注意自己，让别人对你感兴趣，你就永远也不会有许多真挚而诚恳的朋友。如果你试着用心去关心别人，那么即便是陌生人也会成为朋友。要使别人喜欢你或者培养真正的友情，得到别人的帮助，生活更加愉快，那么就请从改变自身开始：真诚地关心别人，爱护别人。

这样表达最有效

你关心和爱护对方，对方感受到你在意他和尊重他，就会乐意与你交往，同时也会反过来关心和爱护你。

情感上有共鸣，更容易达成谈话目的

人与人的沟通，很难在一开始就产生共鸣。当我们试图说服别人，或对别人有所求的时候，最好从对方感兴趣的话题谈起，不要太暴露自己的意图，要让对方一步步地赞同你的想法。在对方深入了解你之后，便会不自觉地认同你的观点。

伽利略年轻时就立下雄心壮志，要在科学研究方面有所成就。他希望得到父亲的支持和帮助。

他对父亲说："父亲，我想问您一件事，是什么促成了您同母亲的婚事？"

"我看上了她。"父亲平静地说。

伽利略又问："那您有没有娶过别的女人？"

"没有，孩子。家里的人要我娶一位富有的女士，可我只钟情于你的母亲。她从前可是一位风姿绰约的姑娘。"

伽利略说："您说得一点也没错，她现在风韵犹存。您不曾娶过别的女人，因为您爱她。您知道，我现在也面临着同样的处境。除了科学以外，我不可能选择别的职业，因为我喜爱的正是科学。别的对我而言毫无用途、也毫无吸引力。难道要我去追求财富、追求荣誉？科学是我唯一的需要。我对她的爱犹如对一位美貌的女子的倾慕。"

父亲说："像倾慕女子那样？你怎么会这样说呢？"

伽利略说："一点儿没错，亲爱的父亲，我已经18岁了。别的学生，哪怕是最穷的学生，都已想到了自己的婚事，可我从没想过那方面的事。我不曾与人相爱，我想今后也不会。别的人都想寻求一位标致的姑娘作为终身伴侣，而我只愿与科学为伴。"

父亲始终没有说话，仔细地听着。

伽利略继续说："亲爱的父亲，您有才干，但没有力量，而我却兼而有之。为什么您不能帮助我实现自己的愿望呢？我一定会成为一位杰出的学者，获得教授身份。我能够以此为生，而且比别人生活得更好。"

父亲为难地说："可我没有钱供你上学。"

"父亲，您听我说，很多穷学生都可以领取奖学金，这钱是公爵宫廷给的。我为什么不能去领取一份奖学金呢？您在佛罗伦萨有那么多朋友。您和他们的交情都不错，他们一定会尽力帮助您的。也许您能到宫廷去把事办妥，他们只需问一问公爵的老师奥斯蒂罗·利希就行了。他了解我，知道我的能力……"

父亲被说动了："嘿，你说得有理，这是个好主意。"

就这样，伽利略最终说动了父亲，并通过努力实现了自己的理想，成了一名伟大的科学家。

也许你曾有过这样的体会，当你知道对方是自己的同乡或校友时，即使是初次见面，也能轻松愉快地与他交谈。有时，如果以对方身边的第三方为话题，那么，谈话也许会更顺利。

某食品公司的业务员秦小姐，每当与人交谈不顺利时，就会巧妙地将话题转向对方的家庭或孩子。有一次，她接待了一位表情严肃、不苟言笑的客户。

秦小姐说："令郎现在读小学吧？"听到这句话，那位客户严肃的表情立刻化为乌有，笑着回答："是啊！小家伙可调皮了。"

秦小姐就是以那位客户的孩子作为话题，成功地完成了在洽谈之前的"情感交流"。

与陌生人交流，要把握好火候，既要以情感人又要以客观事实为依据，避免让人感觉你是在不切实际地空谈。

若要更好地与人交流，可从以下几个方面着手。

（1）介绍特长，促进了解

一般情况，介绍的内容除姓名、工作单位以外，最好还要介绍别人的特长。如："这是李先生，我们单位的'吉他高手'。""这是王小姐，曾是市里模特冠军。"这种介绍对促进双方了解，建立友谊是非常有益的。

（2）给予客观评价

对被介绍的人做一个简单、中肯的评价，是比较好的介绍方法。如："钱先生在机械自动化研究方面很有见地，提出过很多新观点，希望你们能合作。"这种评价式的介绍，能给对方产生良好的第一印象，从而为结识奠定基础。

（3）平铺直白的叙述

介绍他人，要避免拐弯抹角、故弄玄虚，要用简明的语言直接陈述。如："这位是我的同学小蒋，搞软件的。"

（4）通过别人引荐

两位陌生人初次相见，可以通过别人介绍达到相识相交的目的。"张先生，这位是……""我来给你引荐一下，这位是小刘，在××公司上班。"这种介绍，既能打破冷场，又能表现出对人的尊重。

这样表达最有效

在情感上引起对方共鸣，能够有效消除对立，赢得信任，营造融洽气氛。如此，说服对方就水到渠成了。

思想上的共鸣，更能触动对方的心弦

如果一个人特意要去结识一个从未打过交道的陌生人，应当把这一过程当成一次人生的挑战，事先做好充分的准备。可以通过多种渠道了解对方的背景、经历、性格、喜恶，在对对方基本情况了如指掌的前提下，设想有可能出现的问题，做好以不变应万变的心理准备。然后，在交往之中针对对方的特点有的放矢、投其所好，令其产生"相见恨晚"之感，从而赢得对方信任。

一次，在李莲英的保荐下，醇王特地在宣武门内太平湖的府邸接见盛宣怀，向他询问有关电报的事宜。

盛宣怀以前没有见过醇王，但与醇王的门客"张师爷"从交甚密，盛宣怀从他那里了解到醇王两个方面的情况：其一，醇王跟恭王不同，恭王认为中国要跟西洋学，醇王则认为中国人不比西洋差；其二，醇王虽然好武，但自认为书读得不少，颇具文采。

盛宣怀了解情况后，就到身为帝师的工部尚书那里抄了些醇王的诗稿，背熟了好几首，以备"不时之需"。毕竟"文如其人"，盛宣怀还从醇王的诗中悟出了些醇王的心思，胸有成竹之后，盛宣怀前来谒见醇王。

当他们谈到电报这一名词的时候，醇王问："那电报到底是怎么回事？"

"回王爷的话，电报本身并没有什么了不起，全靠活用，所谓'运用之妙，存乎一心'，如此而已。"

醇王听他能引用岳武穆的话，不免另眼相看，随即问道："你也读过兵书？"

"在王爷面前，怎么敢说读过兵书？不过英法内犯，文宗皇帝西狩，忧国忧民，竟至于驾崩。那时如果不是王爷神武，力擒三凶，大局真不堪设想了。"盛宣怀略停了一下又说，"那时有血气的人，谁不想洗雪国耻，宣怀也就是在那时候，自不量力，看过一两部兵书。"

盛宣怀三句话不离醇王的"本行"，他接着又把电报的作用描绘得神乎其神。醇王也感觉飘飘然，后来醇王干脆把督办电报业的事托付给了盛宣怀。

与人交谈，若能使对方产生思想上的共鸣，碰撞出激烈的火花，就表明你的话打动了对方，触动了对方的心弦。这就能很容易地与对方建立起良好的交往关系。

同样的话在不同的时间，不同的场合说，就会产生不同的效果。要想使自己的话在对方的心里有一定的分量，就必须把握说话的最佳时机。这就需要我们用耳朵认真听，用眼睛仔细看，用大脑全面分析，寻找最合适的机会表达想法，那么成功的沟通就不是难事了。

找准时机，把话说到人心里去，自然能促进沟通的顺利进行。如果在此基础上，我们能掌握说话的方法，把一句话说好、说巧，符合对方的"品味"，那必将会使谈话锦上添花。不恰当的说话方式不仅会影响表达效果，甚至可能给自己带来不必要的麻烦，这就应了我们经常听到的一句话："祸从口出。"

明代开国皇帝朱元璋，出身贫寒，少年时代就给地主家放牛，为了填饱肚子甚至出家为僧。但朱元璋胸有大志，历尽坎坷，终于成就了一代霸业。

朱元璋当上皇帝后，一天，当年一块儿玩耍的伙伴前来拜见。他见到朱元璋高兴极了，生怕朱元璋忘了自己。于是，他指手画脚地在金殿上高声说："我主万岁！您还记得吗？那时候，咱俩都给人家放牛。有一次，我们在芦苇荡里把偷来的豆子放在瓦罐里煮着吃。还没等煮熟，大家就抢着吃，把罐子都打破了，撒了一地的豆子，汤都泼在了泥地里。你只顾从地下抓豆子吃，结果被红草根卡住了喉咙。当时，还是我出的主意，让你吞下一把青菜，才把那红草带进了肚子里。"

当着文武百官的面，自己当年的狼狈相被人和盘托出，朱元璋又气又恼，只好喝令左右："哪里来的疯子，来人，把他轰出去。"

会说话的人能一句话说得人笑，不会说话的人一句话说得人跳。话不投机半句多，言逢知己千句少。要想在沟通中处于优势，首先要打开对方的心门，能把话说到对方的心坎里。

我们可以提前做些功课，多了解对方一些情况，从对方所思所想入手，定能"言到功成"。

这样表达最有效

从对方的需要入手，迎合对方的需要，你才更容易与对方搭建起顺畅的沟通平台。

迎合对方的兴趣，谈话也会变得愉快

初次见面的人，如果能用心了解对方的兴趣、爱好，就能缩短双方的距离，加深对方的好感。对不懂行的人来说，似乎觉得谈论嗜好是非常无聊的，殊不知热爱此道的人，却觉得有无限的乐趣。兴趣爱好截然不同的人，无异于是处在两个世界。要他们在一起闲谈的话，彼此都会觉得实在乏味。

要想得到对方的好感，我们应该设法了解对方的兴趣，然后才能使谈话变得有趣。平时我们与别人谈话，如果发现彼此兴趣相投，不由自主地会产生几分亲近感，谈话也就变得十分愉快。

有一位酷爱高尔夫球运动的保险公司业务员，碰到了喜欢高尔夫球的客人，就大谈打高尔夫球的话题，很少提及保险方面的事情，结果反而在这些人中签下了许多保险单。彼此情投意合了，自然会成为好伙伴。

无论是在哪种场合下与人交际，总是可以通过很多渠道了解到对方的喜好。对他人喜好之物表示兴趣，就可以顺利地沟通。

要想迎合对方的兴趣，不适合主动挑起话题，更多的要用暗示，表明是不经意和他人的兴趣爱好相一致，这样才能令他人兴奋。如果主动挑起话题，往往达不到效果。比如说，面对一个喜欢写诗的人，你如果主动去和他大谈特谈写诗，他可能很厌烦，因为这方面他是专家，你所说的在他看来一句都说不到点子上。如果你无意中表示出兴趣来，让他来谈诗，你们的关系就会很迅速地融洽。不经意地表达出和别人一样的兴趣爱好，会让别人主动趋近自己。

著名口才大师卡耐基说："即使你喜欢吃香蕉、三明治，但是你不能用这些东西去钓鱼，因为鱼并不喜欢它们。你想钓到鱼，必须下鱼饵才行。"

说服别人的诀窍就在于，迎合他的兴趣，谈论他最为喜欢的事情。聪明的人在说服别人的时候，懂得迎合别人的嗜好，这样能让对方感觉到受重视、受尊重。当然，这个"迎"，一定要迎合得巧妙，不能让对方看出任何破绽。愚蠢的人在说服别人的时候，只谈论自己，从来不考虑别人。这样的人永远不会得到别人的认同。

每个人都有自己感兴趣的东西。比如，有的人喜欢篮球，有的人喜欢军事，有的人喜欢音乐，有的人对演艺圈的八卦新闻感兴趣，有的人对书法绘画感兴趣，有的人对烹调食物感兴趣，有的人对神秘现象着迷，等等。总之，每个人都有一项或多项的兴趣，会说话的人在说服别人的过程中，懂得迎合别人的兴趣。

你要别人怎么待你，就得先怎样待别人。那么，如果你想让别人对你感兴趣，那就要先对别人感兴趣。

一些人在推销节油汽车时，一见顾客就开门见山地说明这种汽车可为顾客省很多汽油等等，结果往往会招致反感，吃闭门羹。

杨茜是一位节油汽车推销员。她常常会这样开头："先生，请教一个您所熟悉的问题，增加利润的三大原则是什么？"

客户对这种话题肯定十分乐意回答。他会说："第一，降低进价；第二，提高售价，第三，减少开销。"

杨茜会立即抓住第三条接下去说："您说的句句是真言。特别是开销，那是无形中的损失。比如，汽油费，一天节约20元，您想过吗？如果贵店有3辆车，一天节省60元，一个月就有1800元。发展下去，10年可省21万元。如果能够节约而不节约，岂不等于把百元钞票一张张撕掉？如果把这一笔钱放在银行，以5分利计算，一年的利息就有1万多元。不知您高见如何，觉得有没有节油的必要呢？"

听了杨茜的话，对方就会自觉地想到不能再"浪费"下去了，而要设法用节油车以解除这种恶劣状况，最终购买她的节油汽车。

所有的人都爱听赞美的话，尤其是那些事业有成、春风得意的人，更是如此。但奉承也要有个度，说得太夸张、太过分、太直白，就会被人当成是追逐名利、爱慕虚荣的人。所以，在赞美人的时候，要把握一定的分寸，让送出去的赞美甜如蜜。

无论是谁都希望得到别人的崇拜，都希望被人用尊敬、仰视的眼光看待，这也是人之常情。而对于一个处于成功之巅的人来说，这种渴望崇拜的心理会更加的强烈。

现在的社会，竞争这么激烈，压力那么巨大，成功中的牵绊也越来越多。一个成功的、春风得意的人士，即使在一定程度上达到了自我价值的展现，还是需要别人鼓励的，尤其需要别人对他有信心。

还有一些人士，春风得意的时候，往往会在别人的一片颂扬声中沾沾自喜，自高自大，忘乎所以。而你委婉的激励，有时就像一剂良药，给头昏脑热、春风得意的人一点不动声色的提醒，进一步激发起他投入下一次竞争的热情。

在赞美一个春风得意的人士的时候，应特别忌讳一点，不能当着这位人士的面大肆指责他的竞争对手。这样做也许当时能让这位春风得意的人士十分高兴，但过后，他就会清楚地意识到这种以贬低一个人来衬托另一个人的手法是多么地笨拙，并且让人感觉到的只是巴结和恭维。

那些初试"奉承"人的人们，一定要小心，把握好分寸，不要搞出笑话来，反而招人反感。

这样表达最有效

拥有共同的爱好与兴趣，表明我俩是"一伙儿的"，是迅速拉近两人关系的捷径。

接受对方的观点，沟通才能顺利进行

我们生活在社会群体中，人与人之间发生矛盾、产生误解是常有的事。如何处理好这方面的问题，我们的祖先留下了许多闪光的思想和可供借鉴的经验。明代朱衮在《观微子》中说过："君子忍人所不能忍，容人所不能容，处人所不能处。"在为人处世上动辄发怒使性子的人，最终毁掉的不仅仅是自己的风度，还包括自己的前途。

被人误解，不要太委屈，错的是别人，不是自己，相信事情的真相终会大白。当我们做错了事，免不了受到责备时，先冷静下来，从自我意识中深刻地反思，这样就不至于发生争吵。

在人与人相处的过程中，有的人常会抱怨、批评对方难以沟通，认为别人无法理解自己的想法，因而产生诸多争执。这是因为他们对沟通的真实意义有认知上的错误，他们认为沟通就是要让别人接受自己所希望、所预期的一切结果，但他们往往却忘了要体察别人的需求和想法。

人与人相处时，如果彼此意见相左，应该先放下自己的看法、意见，以接纳的心去倾听对方真正的想法与需要，然后再看自己的想法与对方想法之间的差异。然后，依据自己对对方的了解，以其能理解及接受的语言模式来表达自己的看法。沟通对象的认知取决于其教育背景、生活环境、过去的经历以及他的情绪等因素。如果没有意识到这些问题的话，用对方无法理解的语句来表达意见，只会让对方思路杂乱，那样的沟通将会是没有结果、没有成效的。

尊重说话者的观点，可以让对方知道我们一直在听，而且我们也听懂了他所说的话。虽然我们不一定同意他的观点，但是我们还是很尊重他的想法。若是我们一直无法接受对方的观点，就很难和对方彼此接纳，或建立融洽的关系。除此之外，尊重说话者的观点，也能够帮助说话者建立自信，使他更能够接受别人不同的意见。

要做到接受别人的观点，首先自己要有很高的修养，有大度的胸怀，能忍让他人，能宽容他人，能求同存异，少计较个人得失，多考虑大局利益。

每个人都有自己的立场与价值观。当对方说话时，我们必须站在对方的立场，仔细地倾听他所说的每一句话，即使不认同也要包容，不要用自己的价值观去指责或评判对方的想法。我们要包容那些意见跟我们不同的人，要试着去接受别人的观点，这样才能与对方保持良好的沟通。

阳朱到宋国去，住在旅店里。旅店主人有两个妾，其中一个漂亮，一个丑陋。可是长得丑陋地受到宠爱，而长得漂亮的却受到冷落。阳朱问其缘故，年轻的店主回答："那个长得漂亮的自以为漂亮，但是我却不觉得她漂亮；那个长得丑陋的自以为丑陋，但是我却不觉得她丑陋。"阳朱转而对弟子说："你们要记住！品行贤良但却不自以为具有了贤良品行的人，到哪里去不会受到敬重和爱戴呢？"

是非往往是由偏见造成的，人们喜欢自以为是，以自己的观点去否定对方，而不设身处地地为对方着想。刚刚肯定随即就是否定，刚刚否定随即又予以肯定；依托正确的一面，同时也就遵循了谬误的一面；依托谬误的一面，同时也就遵循了正确的一面。因此，圣人不走划分正误是非的道路，而是观察比照事物的本然，也就是顺着事物自身的情态。

很多人希望把自己的观点告诉别人，希望把自己好的建议给到别人。很多时候，人们往往觉得自己的观点和建议很有道理，而且明明是对对方有好处的，但是对方却总是不相信，即使自己说得再有道理，对方也好像总是将信将疑，不能彻底相信。

沟通中，如果只愿意给别人灌输自己的观点而不愿意听取别人的意见，那么会阻碍沟通的进行。

如何能让一个人心甘情愿地接受自己的意见和建议，得到自己的帮助呢？最好的说服不是在嘴上说服，而是从心上说服。为了解决这个问题，我们在这里介绍给大家一个以平等思维说服人的模式。利用平等思维说服，对方会觉得你提给他的建议是他自己的选择，而不是被你说服了。

（1）真心接受对方的观点

每个人在成长过程中，学到了不同的东西，有各自不同的经验，形成了自己的一套知识和经验系统。基于这套知识和经验系统，形成了稳定的判断事物的标准。他所有的选择都是基于这种标准判断的。

当你想把自己的观点介绍给别人，试图劝服对方的时候，首先要接纳和理解对方的观点。这时候，对方才会跟你和谐相处，才容易接受你的观点。当你发现对方的观点明显偏激、不完善甚至是愚蠢时，只是因为你不了解他的判断标准或他的判断依据而已。

（2）展示另外的选择

短期来看，人们看待事物和评判事物的标准是稳定的。但从长期来看，人们在不断地接受着新知识和新经验，新的知识和经验都会不断地影响着人们的心，改变着人们的判断标准。

要想改变一个人的判断，可以有两种方法：一是改变这个人所依据的条件；二是改变这个人的判断标准背后的知识和经验系统。

改变人所依据的条件是一个短时间解决问题的好办法。由于人们有不同的知识和经验系统，他们看问题的角度也往往不同，所以，他们在看待同一事物的时候，往往会看到不同的结果，依据这些结果来判断事物，他们当然会得出不同的结论。

改变人的判断标准背后的知识和经验系统，就要长期让这个人接受正向的熏陶，这就是所谓的近朱者赤、近墨者黑的道理。

（3）尊重对方的选择

当对方已经看到了我们提供的选择的时候，他如果还是选择原先的做法，我们当然要尊重对方。

这样表达最有效

如果我们无法接受说话者的观点，那我们可能会错过很多机会，而且无法和对方建立融洽的关系。就算是说话的人对事情的看法与感受，甚至所得到的结论都和我们不同，他们还是可以坚持自己的看法、结论和感受。

站在对方的角度，说服会更容易些

现在流行一种说法"心态决定一切。"意在提醒人们无论做什么事都需要拥有良好的心态，否则，话难讲，事难成。每个人都拥有自己的喜怒哀乐，都有别于他人的心理活动。与人沟通时，如果忽视了这种心态因素，信口开河，往往会出现"人际危机"，最终使自己遭人厌弃。有效地沟通，必须从正确的"心态"开始。

佳明常常去某市出差。第一次来到这座城市时，他住进了一家宾馆。当他退房时，服务台小姐一脸严肃地说："你先在这里等一下。我们要检查一下房间，看看有没有东西损坏或丢失。"接着又冷冰冰地说："几天前，有个客人偷走了浴室的毛巾，还有个客人把床单烧了个洞……"佳明一听这话，脸有点儿挂不住了，觉得服务台小姐是在含沙射影地鄙视他，简直是在侮辱他的人格。于是，他表示抗议。可服务台小姐不买账，声称她只是在照章办事，并没有侮辱他的意思。

第二次来时，佳明在另一家宾馆却感受到了截然不同的待遇。退房时，服务台小姐微笑着说："先生，请您稍等，我们去看看您是否有东西落在房间里了。"他边等待边琢磨，恍然大悟，这位小姐表达的意思与上次那位小姐所表达的不正是一样的吗——都是检查房间有无东西损坏或丢失。但显然，后面这位小姐的说话技巧要高明许多。这便是沟通的魅力，或者说是谈话心态的魅力。此后，每次出差，他都住进这家宾馆。

通过比较，我们不难发现，前面那位服务台小姐的谈话心态是存在严重问题的。首先，她的心态没能突破自我，或者说利益出发点始终在围绕自身，没有顾及对方的感受。这在人际交往中，是很愚蠢的。相对而言，后面那位小姐的话语就好多了，她能站在对方的角度来思考，从对方的心态出发，同样的目的，但让对方听来顺耳、舒畅，既达到了自己的目的又巧妙地维护了对方的自尊，让人乐于接受。

沟通时良好的心态是相当重要的。它会像旗帜一样指引着你去与人交流，也会像地球引力一样推动着你语言的溪泉潺潺流淌。想要修炼成沟通高手，拥有更和谐的人际关系，潜心培养并迫使自己时时保持积极的心态，至关重要。

无论穷困潦倒，还是春风得意，我们时刻都不要忘了换位思考，想想别人，反思自己。只有这样，我们才能用理解和宽容对待每一个人，才能把敌人变成朋友，把朋友变成手足。

在工作中，面对客户、同事和上司，我们是否具备一种换位思考能力，时刻从他们的角度出发思索自己怎样去做呢？在做每件事情的时候，我们是否都能够像关心自己的亲人一样去关心他们的利益、满足他们的需求呢？所有这些，都直接决定着我们工作的效率和业绩。

只有从对方的角度出发，抓住对方的利益点，我们才能牢牢地把握主动权，或者投其所好，或者打其软肋，进可以攻，退可以守，从而应对自如，稳操胜券。

在摩根一生中，曾经有过很多合作伙伴。在各行各业，争着想与他合伙做生意的人大有人在。可就在这样有利的情况下，摩根还是给了每个合作伙伴非常优厚的条件。在通常情况下，摩根和合作伙伴的利润分成都是四六分成，即摩根四成，别人六成。

有位朋友向他建议道："既然有这么多人愿意和你合作，你拿六成也不过分，最少也要五五分成呀。"

摩根笑着说："我拿六成，没有多少人会和我合作；但我拿四成，几乎所有的人都抢着与我合作。单个看，我似乎吃了亏。但是，总体上看，我获得了多少个四成啊！"

站在对方的位置上，为别人着想，同样的事情，也发生在华人首富李嘉诚身上。

跟随李嘉诚多年的洪小莲，在谈到李嘉诚的合作风格时，曾经这样说："要照顾对方的利益，这样人家才愿与你合作，并希望不止一次合作。凡与李嘉诚合作过的人，哪个不是赚得盆满钵满的？"

对此，李嘉诚曾说："人要去求生意就比较难。生意跑来找你，你就容易做。如何才能让生意来找你？那就要靠朋友。如何结交朋友？那就要善待他人，充分考虑到对方的利益。"在生意场上，李嘉诚从来都只有朋友没有敌人，这不能不说是一个奇迹。

不管面对的是竞争对手，还是合作伙伴，我们都应该多站在对方的角度去考虑问题，考虑他们在想些什么、想得到什么、不想失去什么，然后制定自己的策略。只有这样，我们才能把握主动、因势利导，打开一扇扇通往成功的大门。

这样表达最有效

从对方角度考虑问题，才能真正顾及对方的利益得失，才能让对方感觉到你是真诚地与其交往。最终，赢得对方的信任。

第二章
话说到心坎上：与人相处事半功倍

　　与人交往，最主要的方式就是沟通。把话说到对方的心坎上，对方才会乐意与你进一步沟通，最终达到谈话的目的。"把话说到心坎上"，能让你在复杂的职场与社会中更加如鱼得水，游刃有余。

正话反着说，效果也许更好

现实生活中，有的人非常不讲道理。对于这种人，我们是不是就没有办法说服他们了呢？答案当然是否定的。只要能把握分寸，摸清底细，思路再开阔一点儿，头脑再灵活一点儿，说话时语气再柔和一点儿，就一定能把这种人扳回头。正话反说就是一种有效的办法。

秦朝宫廷里有个乐使名叫优旃。他滑稽、多谋，常用幽默讽刺的语言批评朝政。

秦始皇死后，胡亥继位。胡亥一上台便打算把整个咸阳的城墙油漆一新，这实在是一件劳民伤财的事。

有一天，优旃乘机问："听说皇上准备油漆城墙，有这件事吗？"

"有。"胡亥说。

"好得很！"优旃说，"即使皇上不说，我也要请求这样做了。漆城墙虽然辛苦了百姓而且要多派税捐，但城墙漆得油光光、滑溜溜的，敌人进攻时怎么也爬不上来，多好啊！要把城墙漆一下不难，难的是找不到一间大房子让漆过的城墙在阴凉处晾干。"

优旃的一席反话，使胡亥打消了油漆城墙的念头。

正话反说，有时以亦庄亦谐的形式表达，显得轻松活泼，悦耳动听。

后唐庄宗李存勖没做皇帝之前宵衣旰食，励精图治，做了皇帝之后便沉溺于声色犬马，纵情玩乐了。

一次，庄宗率大队人马到中牟县射猎，踏倒了大片庄稼。当地县令前来劝阻，一下子扫了庄宗的兴致。庄宗下令杀死县令。这时，庄宗跟前的戏子敬新磨站出来，指着县官训斥道："你这糊涂的东西，亏你还当县官！难道你不知道皇上爱打猎吗？"庄宗见敬新磨向着自己说话，高兴得直点头。

敬新磨斥责更带劲："你这糊涂的东西，应该把这片田地空起来，让皇上在这儿高高兴兴地打猎，你为什么让老百姓在这儿种庄稼呢？难道你怕老百姓饿肚子吗？怕朝廷收不了税吗？皇上打猎事大，百姓饿肚子事小，国家收不上税事小，难道这点道理也不懂吗？"

庄宗听后如坐针毡，便指使部下把县令放了。敬新磨巧责皇帝，智救县令，说的全都是反话。他数落县令那番话，有意把意思说反了，听来义正词严，品评别有滋味。

话语可以拨动人们的心弦。有时是正拨，有时是反拨，在一定的语言环境里，反拨往往能表达出强烈的感情，甚至比正面的话显得更有分量，还能表现出一种滑稽风趣的特色，起到"四两拨千斤"的效果。

晋平公射鹌雀，没有射死，叫小内侍襄去捕捉，襄没有捉到。平公大怒，把襄关押起来，还扬言要杀了他。叔向听了这事，连夜进宫去见平公，平公把这事告诉了他。叔向说："大王你一定要把他杀掉。从前，我们的先君唐叔在树林射猎兕牛，一箭就射死了，用它的皮做成一副大铠甲，因为才艺出众被封为晋君。现在您继承我们先君唐叔当国君，射只小鹌雀还射不死，捕捉又没捉到，这是在宣扬我们国君的耻辱啊！请您务必赶快杀了他，免得让这件事传到远方去。"晋平公听了很不好意思，于是命人立即把小内侍襄放了。

叔向正话反说，用晋的先祖唐叔勇射兕牛而封晋君的故事，巧妙地对比出晋平公射雀不死还要杀人的无能，使平公悟出了话味，幡然悔过。

正话反说，在修辞学上叫作反语，就是人们通常说的反话。反话，使用和本意相反的语句来表达本意。用正面的话表达反面的意思，或用反面的话表达正面的意思。

汉朝丞相萧何杀了韩信之后，又抓住了蒯通。刘邦要蒯通承认勾结韩信谋反之事，蒯通拿功当罪，历数了韩信"十罪三愚"：

十罪是：一不该明修栈道，暗度陈仓；二不该去杀章邯等三秦王，取了关中之地；三不该涉西河，虏魏王豹；四不该渡井陉，杀除余和赵王歇；五不该擒夏悦，斩张同；六不该袭破齐历下军，击走田横；七不该夜堰淮河，斩周兰、龙且二大将；八不该广武山小会战；九不该九里小埋伏；十不该追项王于阴陵道上，逼他乌江自刎。

三愚是：韩信收燕赵、破三齐，拥精兵四十万，那时不反，如今才反，这是第一愚；汉王驾出成皋，韩信在修武，统大将二百余员，精兵八十万，那时不反，如今才反，这是第二愚；韩信九里山前大会战，兵权百万，那时不反，如今才反，这是第三愚。

蒯通以迂为直，明处说罪，暗里摆功，道愚是虚，表忠是实，使用和本意相反的言辞来表白意思。

巧妙地运用反语，不仅可以救人，还可以讽谏，劝导别人，表达自己的正确主张。

这样表达最有效

很多时候，若想能举重若轻、易如反掌地达到自己想要达到的目的，尤其是要表达自己的愤懑、不平或劝诫时，不妨正话反说一下，往往能收到意想不到的效果。

虚心求教，拉近人际关系的捷径

一个对佛学有很深造诣的人，去拜访一位德高望重的老禅师。

老禅师的徒弟接待他时，他很是瞧不起，心想："我的佛学造诣很深，你算老几？"

后来，老禅师出来了，十分恭敬地接待了他，并亲自为他沏茶。可在倒水时，杯子已经满了，老禅师还不停地倒。

他十分疑惑地问："大师，杯子已经满了，为什么还要往里倒呢？"

大师回答说："是啊，既然已经满了，为什么还倒呢？"

原来，禅师的意思是，"既然你已经对佛学造诣很深了，为什么还要来我这里求教呢？"

这就是我们常说的"空杯心态"的起源，引申出来的意思是说好的心态是做事的前提。如果想学到更多的东西，就必须先把自己想象成"一只空着的杯子"，而不是目中无人、骄傲自满。

进入陌生的工作环境，肯定会有很多不懂的事情，这个时候就要虚心请教，问问题前先多观察身边的现象，多动脑子。在请教别人时，应当带着谦虚的态度。因为你在询问的同时也是在和同事沟通，增进情谊，这是与人交流的过程，而不是一个单纯的获取答案的过程。

你的上司的周围有的是赞美声和一张张笑脸。作为下属的你如果也去这么做，就不会引起上司的特别注意。因此，明智的做法是虚心请教，你可以恭恭敬敬地掏出笔记本和铅笔，真心诚意地请他指出你应该如何努力，也可以谈论上司值得骄傲的东西，向他取经。这样做会引起他的好感，使他认为你是一个对他真心钦佩、虚心学习、很有发展前途的人。

对于初创企业来讲，只有加强与同类企业的沟通，注意吸收他们在发展中的经验和教训，才能少走弯路。因为有些问题对于经历过的企业来说非常简单、非常明白，但对于初次遇到的企业可能就不知所措。只要抱着谦虚学习的态度，虚心请教，问题可能就会迎刃而解。多问一句、多学一点，要比你整天冥思苦想省事、省力得多。

时刻保持一种虚心求教的态度，才能不断地学习，不断地进步。虚心请教的最大好处就是：通过学习别人的经验和知识，可以大幅度地减少犯错概率，缩短摸索时间，使我们更快地走向成功。

一位年轻人来到了小河边，看到三个年老的长者在河边垂钓。过了一会儿，一位老者起身，说："我要到对岸去。"于是，老者蜻蜓点水般在水面上飞快地点了几下，就过去了。年轻人很惊讶。过了一会儿，又有位老者也像第一位老者一样过去了。年轻人看呆了。又过了一会儿，第三位老者也起身从水面过去了。这下，年轻人认为自己也可以像他们一样蜻蜓点水而过，谁知他"扑腾"掉到了水里。三位老者把年轻人救起，问他为什么掉到水里。年轻人把他的想法说了出来。三位老者哈哈大笑："年轻人，我们在这条河上走了几十年了，对河里的每一块石头都非常熟悉，所以，我们可以很轻松地过河。你不熟悉，就一定会掉到水里去的。"

别人成功和失败的经验是我们最好的老师。那些自以为是的人不肯虚心向人请教，结果只能处处碰壁，会像这个年轻人一样掉进水里。

每个人在生活和工作中都有自己的优点和长处，都有值得别人学习和借鉴的地方。年轻同志要尊重老同志，虚心请教，遇事要征求他们的意见；在和领导沟通中，要向领导虚心地请教，要有诚意地问自己的领导，自己的弱点在哪里，应该如何提高和改进等，从而在领导那里得到一些指导。只有不断地挑战自己，个人才能得到快速地成长。

虚心向别人请教和学习，可以发现自己的不足之处，学到许多处理问题和思考问题的经验、方法，是保持清醒头脑、认清自己位置、积极进步发展的良方。

人总是喜欢证明自己正确，谁也不希望自己栽的花开得不好或者开不出来，换句话说，人们不希望自己投资错了，更不希望自己白白投资，这叫栽培引起的"期待效应"。让某个人帮助你就是让他"栽培"你，随着"期待效应"的显现，他就会越来越喜欢你。

向领导和老同事请教工作，体现了对他们的尊重。要知道，很多人都"好为人师"。他们在获得心理满足的同时，不仅不会小瞧你，反而会因为受到尊重增加对你的好感。这样做拉近了彼此的心理距离，有助于建立良好的人际关系。

一个人的力量总是渺小的，一个人所能知道的极其有限，总有在某方面比自己强的人，总有自己不懂的事，要虚心向别人请教。不要让虚荣心堵住了自己的嘴，否则也就堵住了开启智慧的大门。

尹金成是韩国有名的企业家。他在开始做生意时，几乎什么都不懂，开发了一件新产品，往往不知道该如何定价。于是，他就跑到零售商那里去请教，因为他认为如何定恰当的价钱应该是常与消费者接触的零售商最清楚。

在零售商那里，尹金成出示了新产品，问他们："像这样的东西可以卖多少钱？"他们都会坦诚地告诉他行情。照着零售商的话去做都没错，不必付学费，也不用伤脑筋，没有比这个更适合的。当然，不是什么事情都这样简单，可这是基本的原则。能虚心接受他人的意见，能虚心去请教他人，才能集思广益。

如果我们能培养这种"虚心"，能虚心接受他人的意见，虚心向他人学习，离成功就不远了。学会了在工作中虚怀若谷的精神，是会受益终身的。只有具备了这样的态度，你才能认识到自己的不足，你才会虚心学习别人的经验，为你的成功赢得砝码。

这样表达最有效

虚心是一种低姿态，能够赢得别人的信赖和支持，从而为与他们合作打下基础。不懂得虚心，一味表现与炫耀自己的人，只能处处树敌，步步被动。

说到点上，对方才能心服口服

如果有人问我们是否会说话，可能所有人都会觉得莫名其妙。只要不是哑巴，我们两三岁的时候就会说话了。不过，那时的我们只是具备了说话的能力。如何把话说得更好、更到位，却绝非我们想象的那般简单。

纵观古今中外的风云人物，无不具有良好的口才。他们正是凭着一副三寸不烂之舌，在各自的领域里挥洒自如，春风得意。

只有拥有了良好的口才，我们才能充分地拓展自己的学识和才华，使个人的魅力熠熠生辉，从而事半功倍，业绩卓著。

当然，并非每个人都能口吐莲花。我们也没必要个个都像相声演员那样滔滔不绝，但至少我们要把话说到点子上。

陈明和刘晓是某单位的两个专职司机。前不久，单位精减人员，两个人必须有一人下岗。于是，单位搞了一个竞争上岗，让两个人分别谈自己对将来工作的想法。

陈明第一个上场，开始自己的演讲。他说如果自己将来能开车，一定会把车收拾得非常干净利索，遵守交通规则，而且保证领导的安全，同时要做到省油，不给单位增加负担，等等。陈明滔滔不绝地讲了半个多小时，终于讲完了。

轮到刘晓上场了，他只讲了三分钟没到 就下来了。他说他过去遵守了三条原则，现在他仍遵守三条原则。如果能继续为单位开车，他还会遵守三条原则。这三条原则是：听得，说不得；吃得，喝不得；开得，使不得。

众领导一听，"好！这个司机说得好！"

刘晓说得好在什么地方呢？首先，听得，说不得，意思是说领导坐在车上研究一些工作，往往在没公布之前都是保密的。司机只能听，下能说，不能泄密。第二，吃得，喝不得。因为工作原因，司机经常要陪领导到这儿开个会，到那儿参加个庆典，难免有这样那样的饭局。这时候，司机该吃就吃，但绝对不喝酒，这叫保护领导的生命安全。第三，开得，使不得。司机是开车的，但是只要领导不用的时候，司机也决不为了一己私利而开公车，公私分明，不给领导脸上摸黑。

这样的司机，哪个领导不喜欢？于是，刘晓留了下来。

显而易见，刘晓留下来，并不是靠自己开车的技术，而是靠良好的口才。正是贴切地揣摩了领导的要求，把话说到领导的心窝里，使他获得了一个工作的机会。

一天中午，一位衣着华贵的太太走进了一家时装店。她看上了一套时装，试了试非常合身，但看看标价，又犹豫了一下，把衣服放了下来。显然，她觉得价格太贵，有些犹豫不定。

这时，站在一旁的服务员轻描淡写地说了一句话："刚才某某部长夫人也看上了这套时装，和您一样也觉得这件时装有点贵，刚离开没一会儿。"

话音刚落，那位太太当即买下了这套时装。

这位服务员能让那位太太下定决心买下时装，可谓用心良苦。她巧妙地抓住这位太太"自己所见与部长夫人略同"和"部长夫人嫌贵没买，而自己要比部长夫人更强"的攀比心理，用激将的方法达到了自己的目的。

话不在多，而在于能否说到点子上。在关键时刻，简简单单的一句话，只要能说到点子上，就往往能起到四两拨千斤的奇效。

工欲善其事，必先利其器。我们要搏击人生，良好的口才就是我们不可或缺的利器之一。但是，我们拥有良好的口才，并不一定就非要咄咄逼人、锋芒犀利地与人争辩。那样的话，我们和街头泼妇又有何异？

真正懂得说话艺术的人，总是当言则言，当止则止，即使得理，也要饶人，只有这样才能让人心服口服。

好马出在腿上，好人出在嘴上。无论是从政还是经商，练就一副铁齿铜牙都将使我们如鱼得水、如虎添翼。只有尽快地掌握说话的艺术和技巧，把话说到点子上，我们才能在人生舞台上尽快地脱颖而出、展现自我。

这样表达最有效

无论在职场还是在商场，每一个环节都离不开一张巧嘴。尤其是在商场上，我们每进行一场交易，都少不了一番舌战。而那些胜出者，无不是口才出众、巧于言辞的人。

好言相劝往往胜过恶语相加

在小洛克菲勒还是科罗拉多州一个不起眼人物的时候，美国发生了历史上最激烈的罢工，并且持续达两年之久。

愤怒的矿工要求科罗拉多燃料钢铁公司提高薪水，小洛克菲勒正负责管理这家公司。

由于群情激愤，公司的财产遭受破坏，军队前来镇压罢工者，因而造成流血，不少罢工工人被射杀。那样的情况，可以说是民怨沸腾。

但是小洛克菲勒后来却赢得了罢工者的信服。他是怎么做的呢？小洛克菲勒花了好几个星期结交朋友，并向罢工者发表演说。

小洛克菲勒在演说中说："这是我一生当中最值得纪念的日子，因为这是我第一次有幸能和这家大公司的员工代表见面，还有公司行政人员和管理人员。我可以告诉你们，我很高兴站在这里，有生之年都不会忘记这次聚会。假如这次聚会提早两个星期举行，那么对你们来说，我只是个陌生人。由于两个星期以来，我有机会拜访整个南区矿场的营地，私下和大部分代表交谈过。我拜访过你们的家庭，与你们的家人见面，因而现在我不算是陌生人，可以说是你们的朋友了。基于这份互助的友谊，我很高兴有这个机会和大家讨论我们的共同利益。由于这个会议是由资方和劳工代表所组成，承蒙你们的好意，我得以坐在这里。虽然我并非股东或劳工，但我深觉与你们关系密切。从某种意义上说，我也代表了资方和劳工。"

通过那次演说，小洛克菲勒不但平息了众怒，还为自己赢得了不少赞赏。

如果小洛克菲勒不采用演说的方法，而采用另一种方法，与矿工们争得面红耳赤，用不堪入耳的话骂他们，或用话暗示错在他们，用各种理由证明矿工的不是，那么只会招惹更多的怨愤和暴行。

商界人士都知道，对罢工者表示出一种友善的态度是必要的。

怀特汽车公司的某一个工厂有两三百名员工，他们因要求加薪而举行罢工。当时，公司的总裁罗伯·布莱克没有采取动怒、责难、恐吓或发表霸道谈话的做法，而是在报刊上刊登了一则广告，称赞那些罢工者"用和平的方法放下工具"。由于发现罢工监察员无事可做，布莱克便买了许多球棒和手套，让他们在空地上打棒球。有些人喜欢保龄球，他便租下了一个保龄球场。

布莱克先生富有人情味的举动，得到的当然是富有人情味的反应。那些罢工者找来了扫把、勺子和垃圾推车，开始把工作附近的纸屑、烟头、火柴等垃圾扫除干净。你很难想得到，一群罢工工人在争取加薪、承认联合公司成立的时候，同时清除工作附近的地面。这在漫长、激烈的美国罢工史上是绝无仅有的。这次罢工终于在一星期内获得和解，并没有产生任何不快或遗憾。

著名律师丹尼·韦伯斯特被许多人奉若神灵。虽然他的声誉如日中天，但他那极具权威的辩论始终充满了温和的字眼，他在辩论中经常出现这些话语："这有待陪审团的考虑""这也许值得再深思""这里有些事实，相信您没有疏忽掉""这一点，由您对人生的了解，相信很容易看出这件事的重大意义"。没有恫吓，没有高压手段，没有强迫说明的企图。

韦伯斯特用的都是最温和、平静、友善的处理方式，但仍不失其权威性，而这正是他成功的最大助力。

一头熊在与同伴的搏斗中受了重伤，来到一位守林人的小木屋外乞求得到援助。

守林人看它可怜，便决定收留它。晚上，守林人耐心地、小心翼翼地为熊擦去血迹、包扎好伤口，并准备了丰盛的晚餐供熊享用，这一切令熊无比感动。

临睡时，由于只有一张床，守林人便邀请熊与他共眠。就在熊进入被窝时，它身上那难闻的气味钻进了守林人的鼻孔。

"天哪！我从来没闻过这么难闻的味道。你简直是天底下第一大臭虫！"守林人大嚷道。

熊没有说什么，当然也无法入眠，勉强地挨到天亮后向守林人致谢上路。

多年后，熊与守林人再次相遇。

守林人问熊："你那次伤得好重，现在伤口愈合了吗？"

熊回答道："皮肉上的伤痛，我已经忘记。心灵上的伤口却永远难以痊愈！"

我们有时也许激怒了他人，或者被人激怒。当你被人激怒，并且说了一大堆气话之后，你确实可以消除自己的愤怒情绪，让自己得到一些轻松，但是他人对你印象恶劣，你就是用尽所有办法也很难使他人信服于你。

一位受过高级训练的护士，向两位为外科手术大伤脑筋而中断手术的外科医生，提出一个出色的建议："为什么不试一试呢？"其中一位外科医生厉声回答她："因为我们记得上个礼拜你漏记了一位病人的病史。"那位护士被羞得满脸绯红，无言以对。

想想那些好责备的双亲、专横跋扈的上司、唠叨不休的妻子。我们都应该认识到一点：人的思想不易改变。你不能强迫他们同意你的观点，但你完全有可能引导他们，只要你温和友善。

这样表达最有效

恶言恶语是说话，好言相劝也是说话，但二者产生的效果却截然相反。能说会说的人绝对不会采取前者去处理事情，那样反而使事情更糟。

说话留余地，才是最巧妙的"台阶"

在北京的一家著名饭店，一位外宾吃完一道茶点后，顺手把精美的景泰蓝食筷悄悄"插入"自己的西装内衣口袋里。

这一切被一位服务小姐看在眼里。她不露声色地迎上前去，双手擎着一只装有一双景泰蓝食筷的绸面小匣子说："我发现先生在用餐时，对我店景泰蓝食筷爱不释手。非常感谢您对这种精细工艺品的赏识。为了表达我们的感激之情，经餐厅主管批准，我代表本店，将这双图案最为精美并且经严格消毒处理的景泰蓝食筷送给您，并按照大酒店的'优惠价格'记在您的账簿上。您看好吗?"

外宾当然明白这些话的弦外之音，当即表示了谢意后，解释道：自己多喝了几杯酒，头有点晕，误将食筷放入口袋里。并借此"台阶"说："既然这种食筷不消毒就不好使用，我就'以旧换新'吧！哈哈。"说着，外宾取出内衣口袋里的食筷恭敬地放回餐桌上，接过服务小姐给他的小匣，不失风度地向付账处走去。

谈话时，我们要提醒自己，给自己留下余地，让自己可进可退，这好比在战场上一样，进可攻，退可守。这样，有了牢固的后方，出击对方，又可及时地退回，自己依然处于主动的地位。这样，虽然不能保证自己就一定会处于战无不胜的地位，但是至少可以保证自己不会败得一败涂地。

事物都有自己存在的道理，人事也有自己存在的情理。说话时，如果违背了常情常理，就会给别人留下口舌。因此，在谈话时，要记住话不要说过了头，违背常情常理。

也许是爱因斯坦的"相对论"深入人心的缘故，人们考虑问题都喜欢来个相对思考，对于绝对的东西，在心理上有一种排斥感。比如，你斩钉截铁地说："事实完全就是这个样。"此时，别人心里会想："难道一点也不差？"也许你表达的是事实，可是他心理老是琢磨"难道一点也不差"的时候，他对你话语的领悟就会有点南辕北辙了。你倒不如这样说："事实就是这个样子。"

如果是连我们自己都还没有彻底弄清楚的事情，或者是代表个人看法，就更不要用那些表示绝对的字眼，那样会因为你的绝对化而引起他人的怀疑，甚至引起他人的反感。在我们的周围，有很多这样的人，他们过分地相信自己。

一次，两个陌生人第一次见面，闲聊谈起了大家都关注的问题"道德与法制的关系"。其中一个说："这个问题只是智者见智、仁者见仁的问题。"而另一个接着说："在这个社会，必须讲法制，用不着讲道德。"从后者的谈话来看，他的意思是说，在现在的社会，人心不古，只讲道德，对有些人是没有用的，因此必须用法制来解决问题。但是，他的话过于绝对，引起对方的不满，对方立即反驳他："社会不讲道理是不行的。"最后，那个人只好把自己的话又解释了一遍。

在谈话时，即便是我们绝对有把握的事，也不要把话说得过于绝对，绝对的东西容易引起他人的挑刺。而现实是，如果对方有意挑刺，还真能挑出刺来。与其给别人一个挑刺的借口，不如把话说得委婉一点。同时，如果我们不把话说得绝对，我们还可以在更为广阔的空间与对方周旋。当我们为了某个目的与他人谈话时，话就要说的圆润一些。话说得太直，会激恼对方，即便是理在己方。说的圆润一点，能给我们留下一定的回旋余地，从容地达到我们谈话的目的。

这样表达最有效

说话太直，犹如带有棱角的石头，很容易伤人。委婉是一种既温和婉转又能明确表达的谈话艺术，能够诱导对方去领会你的话，去寻找那言外之意。这顾及到了对方的自尊心，使对方更容易赞同与接受你的说法。

选好与对方沟通的切入点

一位年轻女子在一个首饰店的柜台前看了很久。售货员问了一句："这位女士，您需要什么？"

"我随便看看。"女子的回答好像有点心不在焉，可她仍然在仔细观看柜台里的陈列品。此时，售货员如果还找不到和顾客共同的话题，就很难营造买卖的良好气氛，可能就会使到手的生意泡汤。

然而，细心的售货员忽然间发现女子的上衣别具特色："您这件上衣好漂亮呀！"

"噢！"女子的视线从陈列品上移开了。

"这种上衣的款式很少见，是在隔壁的百货大楼买的吗？"售货员满脸热情，笑呵呵地继续问道。

"当然不是。这是从国外买来的！"女子终于开口了，并对自己的回答颇为得意。

"原来是这样，我说怎么在国内从来没有看到这样的上衣呢。说真的，您穿这件上衣，确实很吸引人。"售货员不失时机地称赞道。

"您过奖了。"女子有些不好意思了。

"只是……对了，可能您已经想到了这一点，要是再配一条合适的项链，效果可能就更好了。"聪明的售货员终于顺势转向了主题。

"是呀，我也这么想，只是项链很昂贵，怕自己选得不合适……"

"没关系，我来帮您参谋一下……"

聪明的售货员正是巧妙运用了沟通的艺术，搭起相识的桥梁，然后顺势引导那位陌生的顾客，最终成功地推销了自己的商品。

初次与陌生人见面，就要找到一个合适的话题，使谈话融洽自如。好话题，是初步交谈的媒介，深入沟通的基础，开怀畅谈的开端。

寻找与陌生人交谈的技巧，一般情况下，是从天气、籍贯、兴趣和衣着等方面着手，而且这些问题也不易触及对方敏感处。

成功的交谈有赖于对话题的选择，话题选得恰当，交谈就融洽自如；话题选择得不恰当，交谈就受到阻碍。所谓话题，就是谈话的中心。话题的选择反映着谈话者品位的高低。选择一个好话题，可使谈话的双方找到共同的语言，往往就预示着谈话成功了一大半。好话题的标准是：至少有一方熟悉能谈，大家感兴趣爱谈，有展开探讨的余地。要使交谈顺利进行，就要找到双方共同感兴趣的话题，而不能只从自己的兴趣出发，要更多地从对方的兴趣着手。

比如，你对足球情有独钟，而对方则爱好摄影。这时，你就不要津津乐道地讲足球比赛，最好以摄影为话题。如果你对摄影略知一二，那肯定谈得投机；如果不太熟悉，那也是个学习的机会，可静心倾听，适时提问，借此增长知识，开阔眼界。一个话题只有让对方感兴趣，交谈才有可能深入下去。

交谈中除注意选择话题外，还应该学会适时发问。发问可以引导交谈按照预期的目的进行，调整交谈的气氛。由于人的知识水平不同，所处的社会环境不同，我们必须仔细观察，了解对方的身份，以使提的问题得体、不唐突。精妙的提问能使你获得所需的信息、知识和利益，并且能够证明你十分重视对方的谈话，从而激起对方的兴趣，向你提供更多的信息。

交谈中最忌讳的就是一方滔滔不绝地高谈阔论，一味地说教，借题发挥，炫耀自己。交谈时要注意以平等的态度礼貌待人，应设法使在座的每个人都有机会参与谈话，这是对人的一种理解和尊重。因为无论在座者的身份地位如何、性格爱好如何，都希望别人不要忽视他。

在交谈中，要充分重视对方的谈话。听对方说话时，目光要始终亲切地注视对方，用眼神和表情表示出你热诚专注的态度，要聚精会神、专心致志地听，不要随意打断对方的谈话。这样，对方就会觉得受到尊重，并认为你对他的话产生兴趣，对你也会产生好感。

有时，对方谈论的一些话题对你来说已十分熟悉，出于礼貌，应保持耐心，不要露出不耐烦的神色。有时，对方谈的话题对你而言完全陌生，很难听出趣味，但出于尊重对方，也应静心倾听。

听人说话，不能只是被动地接受，听者应细心体会对方的感觉，及时地作出积极的反应，以鼓励对方继续谈话的兴趣。在对方谈话时，可用赞同、复述对方话语、简短评论、提问等有声语言来表示，比如，"你说得对""确实是这样""我也有同感""你说得太有趣了"等，还可以用点头、微笑等态势语言来示意。目的是表明自己在用心倾听、积极思考，对方会受到鼓舞，提高说话的兴致，这样会将交谈愉快地进行下去，自己从中也可获得更多的信息。

听话比说话要快，在听话的过程中总有一定的时间空隙，一个注意倾听且善于倾听的人，会利用这些空隙暗自思考，回味对方说话的内容，进行分析、归纳和概括，明确中心，切实抓住要点。一般来说，交谈中对方说话是直截了当的，其说话的意图和内涵是比较容易理解和把握的。但是，在人际交往中，出于种种原因，有时候对方的某些意思是通过委婉含蓄，或闪烁其词的话语表达出来的。这潜藏其中未明白说出的深意就是平常所说的言外之意，倾听者必须留意对方说话的语气、声调、用词、神态和谈话的背景，并通过仔细地去体会对方的言外之意，才能真正理解对方说话的意图，从而作出正确的判断和回应，以加强双方交流沟通的效果。

交谈中的语言往往是临场发挥的，这就需要高度的机智灵活性。尤其是在各种有目的的谈判中，或是针锋相对的辩驳中，要求谈话者要有机敏的应变能力。

为了进行愉快的交谈，还需要设法营造出一个轻松和谐的谈话氛围。有些人与熟人在一起谈天说地，无拘无束，兴致很高；而一见陌生人，就紧张拘谨，无法张嘴说话。其实，一个人说话的胆量大小，说话水平发挥得如何，往往与所处的环境气氛有关。交谈的气氛沉闷压抑，人的情绪提不起来，觉得乏味，自然也就失去了谈话的兴趣；而交谈的气氛宽松，人的兴致便高，谈兴也较浓，就会放下包袱，畅所欲言。而且，在宽松的气氛中，也容易说服对方接受自己的观点，使交谈获得意想不到的效果。

善于运用新鲜、生动活泼的话语，化平淡为有趣，化沉闷为笑声，能为交谈增添一份轻松、祥和、快乐的气氛，让听者在说笑中明白某件事和某种道理。

每个人都会在人际交往中遇到很多的陌生人。只要你主动、积极地同对方交流、沟通，并用心摸索、试探，总会找到对方感兴趣的话题。

这样表达最有效

由于交谈的对象、气氛、环境不同，谈话的内容和方式也应灵活机动，不断调整。能够在任何条件下，坦然与人交谈并取得别人的好感，这就是谈话的技巧。

第三章
幽默谈吐更迷人：增强人际吸引力

　　幽默的言辞是人与人相处过程中最佳的润滑剂，它既能缓解尴尬的局面，又能平息对方的怒气。一个笑话，一句玩笑，就能让气氛活跃起来。幽默风趣的人是天然磁场，他们总是人缘很好，吸引着身边的人。

幽默风趣，沟通中的润滑剂

如果说生活中离不开盐的话，那么沟通中也就离不开幽默。有了它，单调乏味的沟通有时也会变得趣味横生，具有神奇的魅力。

汉武帝晚年很希望自己能长生不老。一天，他与一个侍臣闲聊："相书上说，一个人鼻子下面的'人中'越长，寿命就越长；'人中'长一寸，能活一百岁。不知是真是假？"

东方朔听了这话，知道汉武帝又在做长生不老之梦，脸上露出一丝讥讽的笑意。汉武帝见东方朔似有讥讽之意，喝道："你居然敢笑话我！"

东方朔毕恭毕敬地回答："我怎么敢笑话皇上呢？我是在笑彭祖的脸太难看了。"

汉武帝问："你为什么笑彭祖呢？"

东方朔说："据说彭祖活了八百岁，如果真像皇上所说，'人中'长一寸就活一百岁，彭祖的'人中'就该有八寸长了，那么，他的脸岂不是太难看了吗？"

汉武帝听了，不禁哈哈大笑起来。

东方朔以幽默的语言，用笑彭祖的办法来劝汉武帝。整个批驳机智含蓄，风趣诙谐，令怒不可遏的汉武帝转怒为喜，并且愉快地认输。

生活中没有一个人不喜欢风趣幽默的语言。在中国的传统文艺晚会上，相声小品之所以一直成为最受欢迎的节目之一，就在于它的表现形式离不开幽默，那幽默的语言强烈地感染观众的心。幽默的话还能抓住听者的心，使对方平心静气，也可以使一些深刻的思想表达得更加生动和形象。

作家普里兹文说："生活中没有哲学还可以应付过去，但是没有幽默则只剩下愚蠢的人才能生存。"幽默是我们精神生活中不可缺少的重要元素。幽默可以使人有一个愉快的心情，可以活跃沟通的氛围，使我们沟通得更加顺畅。如果生活中没有幽默，那么就没有良好的沟通，如果没有和谐的沟通，那么这个社会将到处充满争吵，矛盾将不可调和。

幽默的语言就如润滑剂，可以有效地降低我们在沟通中产生的摩擦，从而化解冲突和矛盾，从容地消除沟通中的不利因素，使我们的人际关系变得和谐。

一个幽默的人能使枯燥的会议变得妙趣横生，能使沉闷的聚会变得轻松愉快，能使上司严肃的面孔松弛下来，能使拘谨的下属缓和紧张的心情，能使陷入僵局的谈判很快达成共识。有时适当地开个玩笑，会使生活更加的色彩斑斓。幽默是生活中一道快乐的风景线，会让我们在人际交往中更轻松愉快。

生活中离不开幽默，幽默可以增添生活情趣。幽默不仅可以给人们增添无限快乐，还可以帮自己走出尴尬的境地，使气氛更加融洽和谐。

第二次世界大战时期，英国为了请求美国共同抗击德国并给予经济援助。英国首相丘吉尔便到华盛顿会见美国总统罗斯福，罗斯福热情地接待了他，并安排他住在白宫。

在会见期间的一个早晨，丘吉尔刚洗完澡，赤身裸体地想去穿衣服，却意外地碰见了罗斯福。这时，双方都很尴尬，然而丘吉尔却以一句风趣而又语带双关的话，不仅解除了尴尬，而且还顺利获得了美国的军事援助。丘吉尔说："总统先生，大不列颠的首相在您面前是没有什么需要隐瞒的。"

在这样一个令人尴尬的场合，丘吉尔恰当的幽默使气氛顿时变得轻松起来，不仅维护了彼此的面子，还拉近了双方的距离。幽默是睿智的表现，它是一个人个性、风度、思想、素质的体现。如果让幽默走进我们生活的各处，也能收到意想不到的效果。

在人际交往中，机智风趣、谈吐幽默的人往往会拥有更多的朋友，我们谁都不愿动辄与人争吵或者与郁郁寡欢、言语乏味的人交往。幽默可以将烦恼变为欢畅，使痛苦变成愉快，将尴尬转为融洽，并牢牢地吸引住对方。

在日常的生活中，沟通的双方难免会闹点小摩擦，吵几句嘴，发生一点小误会。如果我们斤斤计较，因为一点小事就不欢而散，不仅解决不了问题，还会扩大矛盾，增加隔阂，伤害感情。假如能运用一点幽默，结果就会大相径庭。幽默能消除陌生人之间下意识的敌意，拉近彼此的心理距离。幽默能化解尴尬、熄灭一触即发的怒火，使关系和谐。无论是谁都愿意和一个有幽默感的人相处，而不愿和一个整天板着脸毫无趣味的人相处。

幽默使人与人之间的交往融洽，让尴尬中神经紧绷的人瞬间轻松，让即将发怒的人一笑释怀。幽默缩短了人与人之间的心理距离。

获取幽默语言的途径很多。首先要用"趣味思维方式"捕捉生活中的喜剧因素。"趣味思维"是一种"错位思维"，不按照普通人的思路想，而是"岔"到有趣的一面去。其次要在瞬息构思上下功夫，掌握必要技巧。幽默风趣是一种"快语艺术"，它突破惯性思维，遵循反常原则，想得快，说得快，触景即发，出人意料之外，又在情理之中。

有位将军问一位战士："马克思是哪国人？"战士想了一会儿说："法国人。"将军说："哦，马克思搬家了。"对于这常识性问题都答不出来，将军当然不悦，但这一"岔"，构成了幽默，其实也包含了对战士的批评教育。

再次要注意灵活运用修辞手法。极度的夸张、反常的妙喻、顺手拈来的借代、含蓄的反语，以及对比、拟人、移就、拈连、对偶等修辞方法都能构成幽默。

最后要注意搜集素材。我们的生活丰富多彩，提供了许多有趣的素材，这些素材无意识地进入我们记忆仓库的也很多。我们如果做个"有心人"，就会使自己的语言材料丰富起来。

这样表达最有效

恰到好处的幽默，是智慧的一种外在表现，也是一种高情商的体现。幽默的魅力就在于：话不需直说，但却让人通过曲折含蓄的表达方式心领神会。

培养幽默感，融洽你的谈话氛围

幽默有时让人感到神秘。有人想学，却无法学会；有人没怎么学，却脱口而出。那么，幽默是不是与生俱来、天赋而生的呢？经过研究发现，幽默是人的独特性的气质，和游戏一样，是人的本能。在对一些具有幽默感的人进行研究之后发现，幽默确有某种遗传基因存在。我国著名相声表演艺术大师侯宝林和他的两个儿子，著名喜剧表演艺术家陈强和他的儿子陈佩斯，都可以作为幽默是天赋的证明。虽然有遗传的因素存在，但幽默感并不神秘。它主要还是在后天的社会实践中培养和训练而成的。

幽默是形象思维，因而联想和想象是不能没有的。不但要研究幽默名家的作品和来自民间的幽默精品，而且还要广泛地了解各种艺术形式，增强自己的艺术敏感性，训练自己由此及彼、由表及里地在各个意象间构建想象的能力。

当然，法无定规，幽默没有现成的模式可以遵循。我们面对的是变动不息的人群，所以幽默也只能因人、因事而异，才能达到效果。

幽默感的内在构成，是悲感和乐感。悲感，是幽默者的现实感，就是对不协调的现实的正视。乐感，是幽默者对现实的超越感，是一种乐天感。悲感，让幽默者可以勇于面对现实，正视人生的弱点。乐感让幽默者在别人或者他们自己的弱点面前产生"突然的荣耀感"，给幽默者以信心和勇气，在困境中竖起胜利的风帆。

由痛苦到快乐，一定要具备某种超越精神。只有超越了现实，才能俯视现实，对待困难采取乐观的态度。

在社会生活中，人们有可能会遭遇到不公正的待遇。一般来说，这种情形是暂时的，一旦真相大白，含冤者就会昭雪。如果我们学会幽默，就会在所谓的委屈之外发现令人无比快乐的东西。

意大利著名作曲家罗西尼听人说，他的一批有钱的爱慕者准备去法国为他建一座雕像。感动之余，他问道："他们准备花多少钱？""听说一千万法郎吧。"罗西尼大为吃惊，"如果他们肯给我五百法郎，我愿意亲自站在雕像的底座儿上！"

诙谐风趣的人生往往为淡然处世、淡泊名利、超脱的人所享有。试想想，如果罗西尼没有这样谦恭，而是对用一千万法郎雕像欣喜若狂，也决不会有这般的幽默感。

没有幽默感的人不会积极地看待这个世界，不会乐观地看待自己的生活。当然乐观不是盲目的，而是有所依附，是一种透彻之后的豁达。乐观地看待你的生活，幽默便会自然而生。

生活中大多数人都喜欢幽默的人，喜欢幽默的话。那些机智的妙语中蕴含着人生的大智慧，能让人开怀一笑。每个人都希望自己成为一个幽默的人，能以诙谐幽默的语言给他人带去快乐，也给自己带来荣耀。但是很多人却哀叹自己没有幽默细胞，学习他人似乎也学不来，于是就认定幽默乃天生注定，是人的天赋。

其实，只要平时注意观察、模仿、学习，幽默感还是可以培养的，只要我们用心学就会发生改变。培养幽默感，可以从以下几个方面着手。

（1）培养良好的个性才能学会幽默

幽默给我们带来快乐，让我们化解尴尬，增进人们之间的关系。幽默不是油腔滑调，也非嘲笑或讽刺。浮躁的人难以掌握幽默，装腔作势的人难以掌握幽默，钻牛角尖的人难以掌握幽默，捉襟见肘的人难以掌握幽默，迟钝笨拙的人难以掌握幽默。所以，要培养幽默感首先要培养良好的个性。只有从容，平等待人，超脱潇洒，游刃有余，聪明透彻才能学会幽默处世。

（2）陶冶情操，学会乐观宽容

拥有乐观精神的人才会使用幽默。我们要善于体谅他人，拥有一颗宽容之心，凡事不斤斤计较，如此，才能培养出幽默细胞。

乐观、宽容的态度是幽默的精髓之所在。学会幽默就要以乐观宽容的态度对待他人。乐观的心态会传递，宽容让我们的生活更加和谐。如果生活中多一点乐趣，多一些笑容，也就会少一点摩擦。

（3）不断积累知识，形成幽默的语言习惯

拥有渊博的知识，才能急中生智，以幽默的话语应对自己一时的失语。若是知识贫乏之人，也许就不能脱口而出机智的话，摆脱尴尬的境地。一个人有了丰富的知识，有审时度势的前提，谈话的内容才会丰富，妙语连珠，并且作出恰当的比喻。我们要培养幽默感就必须广泛涉猎，充实自我。日常生活中要不断积累，多读、多看、多听、多学，在自己所处的环境中多练习使用幽默的语言，形成幽默的语言习惯。

这样表达最有效

每个人都希望自己成为一个幽默的人，能以诙谐幽默的语言给他人带去快乐，也给自己带来荣耀。只要平时注意观察、模仿、学习，幽默感还是可以培养的，只要我们用心学就会发生改变。

玩笑没分寸，"玉帛"变"干戈"

　　幽默不仅可以减少尴尬，还可以制造一种轻松的气氛，让我们在平淡的生活中过得有滋有味。但是我们知道，放调味料是有一个限度的，如果滥用，味道过重，就会让人难以下咽。所以，我们在使用幽默技巧时也要掌握好分寸，否则结果便会适得其反。

　　愚人节那天，正在外地出差的郑先生接到朋友的电话。朋友气喘吁吁地说："你爱人出车祸了，已经被我送进了医院，你赶快回来。"郑先生立刻急急忙忙赶回。回到家中，见爱人正在做饭，才知道自己被朋友骗了。郑先生立刻打电话给朋友，生气地说："你玩笑开得太过分了！"谁料朋友不但不对自己的行为道歉，反而说："愚人节开玩笑很正常。"郑先生听后十分生气，啪的一声挂掉电话，此后再也不理会这位朋友了。

　　熟悉的朋友之间常常会相互取乐，说话也不拘小节，以体现彼此之间的亲密关系。不过，凡事总要有个度，掌握不好尺度，就会好心办坏事。郑先生的朋友只是想开个玩笑，但是拿郑先生的妻子出车祸这件事开玩笑，却一点也不好笑。这样，不仅没有给大家带来快乐，还与朋友之间关系变得僵化。可见，开玩笑之前，一定要清楚对象能否接受得了，掌握好尺度。

　　要掌握好为人处世的分寸，就要注意根据不同的环境、不同的对象的具体情况，确定我们的言行。凡事三思而后行，使自己总能保持一种分寸感，就能使言行恰到好处，有利于巩固和发展人与人之间的友好关系。

　　过分地开玩笑总不是一件很值得提倡的事。"喜欢开玩笑"不能说是一种能力，也并不代表人的积极性格，更不体现人的良好素质。相反，老是喜欢开玩笑的人容易失去他人的信任，到头来会落个不受别人尊重、难以获得信任的下场。当然，偶尔开个健康的玩笑是可以暂时起到活跃气氛的作用，但如果经常热衷于同人开玩笑或开些低级庸俗的玩笑，那就极不可取了。

我们应该具有幽默感而不是过分地开玩笑。前者是一种高尚的情操，后者只有较低的格调。具有幽默的人与喜欢开玩笑的人都能使气氛轻松，但两者的区别在于，前者是以爱来感染别人，使人际关系变得融洽自然，而后者是以开玩笑者的"快乐"建筑在被开玩笑人的"痛苦"之上的方式来博人一笑，往往容易造成人际关系的紧张。

玩笑必须是善意的促进鼓励而不是恶意的取笑攻击。否则，既损伤人的自尊心，又影响人的声誉，引起当事人的不满和得不到谅解是难免的。可见，在生活中一个不尊重别人的人也必然得不到别人的尊重和理解。

开玩笑原本是一件好事，恰到好处的玩笑可以让大家开怀一笑，活跃一下严肃的气氛，消除对方的紧张感和敌意，拉近人们彼此之间的距离。许多大人物都是开玩笑的高手，能在不同的场合与不同的人们交流的很融洽。然而，许多玩笑者原本没有恶意，开得玩笑却不恰当，往往弄巧成拙，搞得对方不愉快，反而影响双方的感情。

每个人的性格都是不一样的，有些人喜欢开玩笑，你越是跟他开玩笑，他越是觉得你把他当朋友，这种人开得起玩笑；有些人正好相反，天生严肃认真、不苟言笑，你稍微说得过了一点，他就当真，这种就属于开不起玩笑的人。对于后者，你最好还是不要冒这个险，万一他没笑，反而较真起来就不好玩了。

开玩笑要把握好分寸，把握好一个度和界限。掌握好分寸的玩笑会给别人带来快乐，但是过度的玩笑可能造成别人的反感、误解甚至仇恨，因而要掌握好开玩笑的分寸，即关乎自己的形象，也会对彼此之间的关系产生影响。

乱开玩笑可能会给别人带来很大的麻烦，有时过火的玩笑甚至会造成无法挽回的后果。生活中，我们常会开玩笑调节气氛，但是一定要注意把握住分寸、对象、场合，否则玩笑就会伤人。

玩笑的目的是活跃气氛，讲出来的笑话不能让大家感到尴尬。凡有损他人形象、取笑他人的玩笑都是不可取的。

个人的隐私是不想被外人知道的，也是不可随便拿来调侃的，在开玩笑时一定要注意。别人与你分享自己的隐私是对你的信任，如果以此作为玩笑的谈资是会破坏气氛的，甚至会使你们的关系僵化。

拿别人最重要的事情来开玩笑，往往会引起争执，这是对别人极不尊重的表现，所以别人非常在意的事情也不可作为开玩笑的内容。

这样表达最有效

适度的玩笑并无害处，但是如果失去分寸，那开玩笑者的一时快乐很可能要建立在别人的痛苦之上。而且玩笑开过了头，就成了攻击和污蔑。

巧用幽默，开启"机智人生"

据说，李鸿章有一个远房亲戚，胸无点墨却热衷科举，一心想借李鸿章的关系捞个一官半职。

他在考场上打开试卷，竟无法下笔。眼看要交卷了，他便"灵机一动"，在试卷上写下"我乃李鸿章中堂大人的亲妻（戚）"，指望能获主考官录取。

主考官批阅这份考卷时，发现他竟将"戚"错写成"妻"，不禁拈须微笑，提笔在卷上批道："所以我不敢娶（取）你。"

"娶"与"取"同音，主考官针对他的错字，来了个双关的"错批"，既有很强的讽刺意味，又极富情趣。

一语双关可谓是幽默最厉害的招式之一，但它又不只是"幽默"而已，同时还隐含了"智慧"成分。"一语双关"恰如其分，活脱脱地表达出对人及事的看法，除了使人们"不禁莞尔"或"哈哈大笑"以外，更是"机智人生"的呈现。

所谓双关，也就是你说出的话包含了两层含义：一个是这句话本身的含义，另一个是引申的含义，幽默就从这里产生出来。也可说是言在此而意在彼，让听者不只从字面上去理解，还能领会言外之意。

一只猴子死了去见阎王，要求下辈子做人。阎王说："你既要做人，就得把全身的毛拔掉。"说完就叫小鬼来拔毛。谁知只拔了一根毛，这猴子就哇哇叫痛。阎王笑着说："你一毛不拔，怎么做人？"

这则寓言表面上是在讲猴子的故事，却很幽默地表达了"一毛不拔，不配做人"的道理，虽然讽刺性很强，却也委婉、含蓄。

谁不喜欢富有幽默感的人呢？每个人的内心都喜欢阳光与欢乐。一个富有幽默感的人，能使他人在与之相处时享受到轻松愉快的气氛，从而增添与之相处的乐趣。幽默是一种说话的艺术。懂得幽默的人，往往三言两语就能使人忍俊不禁。

比较常见的幽默技巧主要有以下几种。

（1）曲解法

所谓曲解，就是从另外一个角度进行解释，在对话中故意歪曲对方话语的本意，或故意装聋听不清而回答，将两个表面上毫不沾边的东西联系起来，造成一种不和谐、不合情理、出人意料的效果，从而产生幽默感。它常常利用语词的多义、同形、谐音、同音等条件来构成。

（2）借口推脱法

先答应对方的要求，然后又寻找借口加以推脱。

（3）附加条件法

附加条件就是先顺承对方的意思，然后再加上一个条件，而这个条件往往是不能做到的。

（4）巧妙解释法

即对加以巧妙的解释而造成幽默效果。说话时，故意不把要表述的观点直接表述出来，而是隐蔽地蕴含在另一个似乎无关的观点中，让谈话对方经过思考，顿悟你所要真正表达的意思，它往往能够给人留下无穷的回味。

（5）自嘲法

在公共场合，难免会出现尴尬的场面，这时我们就应该学会自嘲，化解尴尬的局面。

（6）夸张法

要想幽默，最常用的手法就是夸张。相声演员姜昆说过："好家伙，那月饼硬得一摔马路可以砸出俩大坑！"这就是夸张，它带给我们的是回味无穷的幽默。夸张手法的运用往往能够恰到好处地放大幽默的细节，达到很好的效果。

（7）以其人之道，还治其人之身

以其人之道，还治其人之身也是一种幽默的手法。它可以化解人们之间的矛盾，让别人认识到自己的错误之处，从而化解双方的矛盾，使气氛缓和。

（8）补充说明法

先肯定对方的说法或顺承对方的意思加以回答，然后再补充说明，使之符合逻辑。

这样表达最有效

一个具有幽默感的人，能时时发掘事情有趣的一面，并能欣赏到生活中轻松的一面，建立起自己独特的风格和幽默的生活态度。这样的人，很容易令人想去接近他；这样的人，使接近他的人也分享到轻松愉快的气氛。

自嘲式幽默，轻松化解尴尬

爱因斯坦是位著名的科学家，但他从不注重自己的着装。

爱因斯坦第一次来到纽约时，在大街上遇到了当年的一位老朋友。

这位朋友见爱因斯坦衣服破旧，便说："你看你的大衣，又破又旧，换件新的吧，怎么说你也是知名人物呀！"

爱因斯坦笑了笑："没关系，没关系。我刚来到纽约，这儿没有人认识我。"

几年后，爱因斯坦和他的相对论都已声名远播。巧的是，爱因斯坦又和他的那位朋友在街上相遇了。更巧的是，爱因斯坦还是穿着那件"又脏又破"的大衣。

这一次，爱因斯坦不等朋友开口，便自嘲道："这次更不用买新大衣了，全纽约的人都已经认识我了。"

美国社会学家麦克·斯威尔说："在别人嘲笑你之前，先嘲笑你自己。"如果你嘲笑的是自己，试问有谁会大力反对？你把"自己"当作嘲笑的对象，不但可以消除紧张、焦虑的情绪，更可以提升自我的修养。

一次，著名国画大师张大千在宴席上，向京剧表演艺术家梅兰芳敬酒时说："梅先生，你是君子——动口，我是小人——动手。"在这里，张大千根据自己的工作特点，自嘲地将自己喻为"小人"，顿时活跃了宴会气氛。

一个人要承认自己的"缺点"实在不是一件容易的事。要知道，人总有不完美的地方，坦白承认自己的缺点，就能把"缺点"化为个人独有的特点。

英国作家杰斯塔东是个大胖子，由于"体积"过大，行动往往不太方便。但是，像罗慕洛不以矮为耻一样，杰斯塔东也不以胖为耻。有一次，他对朋友说："我是个比别人亲切三倍的男人。每当我在公共汽车上让座时，便足以让三位女士坐下。"

当处于非常窘迫的境地时，机智地进行自我褒贬而产生的幽默，是摆脱窘境的好方法，也是展示人格魅力的法宝。同时也能给对方一种轻松感，使沟通气氛变得更加和谐，更有利于沟通活动的顺利进行。

在一些社交场合，运用自嘲可以放松自己的情绪，为你社交的成功增添许多风采。当然，自嘲要避免采取玩世不恭的态度。具有积极因素的自嘲包含着自嘲者强烈的自尊、自爱。自嘲实质上是当事人采取的一种貌似消极，实为积极的促使交谈向好的方向转化的手段。

幽默的一条重要原则就是宁可取笑自己，绝不轻易取笑别人。海利·福斯第曾经说过："笑的金科玉律是，不论你想笑别人怎样，先笑自己。"自嘲，也是自知、自娱和自信的表现，本身也是一种幽默。这种自嘲式的幽默往往更能化解纠纷，使得紧张的氛围趋于轻松。而把自己的缺点暴露出来，调侃一番，不仅不会将自己的缺点放大，还会拉近彼此的距离，给自己的魅力加分。

在人际交往中，我们经常会遇到一些意想不到的事情，或是自己失言失态，或是对方对自己的言行有看法，或是周围的环境出现了我们没有考虑到的因素。总之，这些猝不及防的情境往往会令我们狼狈不堪。这个时候，最有效的解决方法，就是用幽默来摆脱尴尬。

在我们遇到尴尬的沟通逆境时，如果能适当地使用自嘲的方式创造幽默感，不仅能有效地摆脱自己的尴尬处境，也能给对方一种轻松感，从而使沟通气氛变得和谐，更有利于沟通活动的顺利进行。在日常生活中，谁都有缺点失误，难免会遇上尴尬的处境，人们往往都喜欢遮遮掩掩。其实，这样反倒会引起更加恶劣的效果，还不如来点自我解嘲，使得即将发生的纠纷趋于平静。

洛伊是 20 世纪 20 年代到 80 年代美国著名的影星，在这期间，她一直活跃在银幕上。洛伊的形象在大家心目中一直是完美的，但她在晚年的时候却日渐发胖。朋友多次邀请她一起去海滨浴场游玩，她都以各种理由推辞了。

一次，一位记者向洛伊提出这样的问题："洛伊女士，您是不是因为自己太胖，怕丢丑才不去海滨游泳的?"

没想到洛伊却爽快地答道："是的。我怕我们的空军驾驶员在天上看见我，以为他们又发现了一个新古巴。"

所有在场的人听到后都发出了阵阵笑声，大家不自觉地鼓起掌来。

洛伊用自嘲的口吻、夸张的比喻化解了自己的尴尬，既没有被记者牵着鼻子走，又很好地活跃了招待会的气氛，同时还给大家留下了一个良好的印象，显示出自己豁达的心胸和人格魅力。

当你在与人交谈而陷入尴尬的境地时，自嘲可以使你从尴尬的境地脱身出来。自嘲不仅是豁达的表现，还是自信的表现。因为，只有有足够自信的人才敢拿自身的失误做文章，继而把它放大、夸张，最后又巧妙地引申发挥、自圆其说，博得众人一笑。

这样表达最有效

自嘲的人是智者中的智者，高手中的高手。自嘲就是要拿自身的失误、不足甚至缺陷来"开涮"，对丑处不予遮掩，反而把它放大、夸张、剖析，然后巧妙地引申发挥、自圆其说，博得一笑。一个人如果没有豁达、乐观、超脱、调侃的心态和胸怀，是无法做到自嘲的。

陷入冷场，用幽默给谈话加点温

小靖曾有过一次痛苦的爱情经历。她爱男朋友爱得如醉如痴，可是，她的男朋友却脚踏几只船，最终抛弃她跟别的女孩子浪漫去了。

一次，小靖与第二位男朋友小夏约会时，小夏问她："你对爱情中的普遍撒网，重点逮鱼，怎么看？"

没想到小夏话一出口，小靖不但没搭理他，脸色霎时变得很难看。

小夏明白自己误入了情人的"雷区"，赶紧补充道："啊，请别介意，我是说，我有一个讽刺对爱情不忠的故事献给你，故事说有一个对太太不忠的男人，经常趁太太不在家把情妇带回家过夜，但又时常担心太太会发觉。所以，有一天晚上，他突然从梦中惊醒，慌忙推着身边的太太说：'快起来走吧，我太太回来了。'等他的太太也从梦中清醒，他一下子傻了眼。"

还没等小夏讲完，小靖已被他的幽默故事给逗得喜笑颜开。

小夏运用故事首先转移了谈话的方向，然后用幽默的感染力，淡化了因说话不慎而给小靖带来的不快情绪，从而自然而巧妙地把可能出现的"冷场"给过渡过来，赢得了心上人的开心一笑。

有时候，冷场是由对方造成的，这时候，我们就应该采取措施，调动对方，打破冷场。

寻求共同点是一个不错的方法。如果是对方对此话题不感兴趣，这时就要转移话题，寻找双方共同感兴趣的话题和双方可以接受的观点。这些话题最好就是身边的，具体而生动的。当双方谈话进行得不顺利时，如果外面有刺耳的汽笛声，你就可以说："这么大的噪音，真够人受的了。"对方也有同样的感受，可能他因此就又同你交谈起来了。

一位记者去采访一位科学家。到了科学家那儿，记者看到墙上挂着几张风景照，于是就谈起了构图、色调……原来这位科学家爱好摄影。他兴致勃勃地拿出了自己的相册，谈话气氛非常融洽。正是由于这种气氛，使后面的正题采访进行得非常顺利。

在谈话开始的时候，你就要一直把注意力集中在眼前正在交谈着的一切信息上，抓住每一个要点，思考每一句话的意义，从眼前开始去不断扩展谈话的题材，那么你思想的源泉就会不断涌出，谈话的线路也就畅通无阻。

交谈时的"冷场"，并不总是出现在开始，有时你与对方谈着谈着，他（她）突然沉默起来，你也忽然感到无话可说了。这多半是因为你们的注意力没有高度集中在交谈上，没有在眼前所见所闻中扩展你们的思想，或者没有把你们的思想和眼前的一切联系起来，所以本来谈得很好的话题，突然"断路"了。

能够做到专心致志地谈话，积极对谈话内容作出反应，不断"刺激"谈话的发展，提高谈话的热度，那么，你们的谈话就会在一来一往，你言我语，谈笑风生中进行。

如果你与对方的志趣不同，当然很容易使人感到"话不投机半句多"，难以产生共鸣。不过，不同中未必就一定找不到任何共同点。

比如，你爱读书写字，他（她）爱唱歌跳舞，可能共同的话题要少一点，但你们总要看电影、看电视吧。你不谈读书写字，也不谈唱歌跳舞，而是从评价当前国内外的电影、电视节目入手，总可以找到共同语言吧？你们可以围绕电影、电视中的情节、人物、表现手法、表演艺术等等交换看法。

在讨论这些的过程中，各自对人生、对社会、对是非的观念都可以展示出来，从而达到互相了解的目的。如果他（她）连对艺术的兴趣也没有，你们还可以谈谈时事新闻、轶闻趣事、最近的热门话题，或者谈谈工作中遇到的问题等等。

如果你们的工作相同或相近，那话题就更多了。你可以谈工作中的甘苦成败，谈你遇到的那些不好解决的问题，还可以谈衣、食、住、行等大众话题。

以下的建议和方法可以教会你在无话可说的时候说什么，避免无话可说的情景出现。

（1）不要退缩

无话可说时，不要退缩，也不要灰心。你是可以做些什么的。在心里默默地责怪自己或对方于事无补，你应该尝试一些新的东西、新的话题，虽然这在开始的时候很困难。

（2）注意当下

把注意力集中在此时此刻的事情，注意到你在说什么，你在想什么，你的情绪是什么，对方又在说什么、想什么，他的情绪是什么，你们之间在做什么。即便你们的话题是涉及过去、未来或者其他人，你的注意也要放在眼下的交流。特别要注意的是情绪，它往往是无话可说的罪魁祸首。

（3）想好再说

花时间和精力想想你想和对方交流些什么。不要不经过大脑开口就说，而又没有主题。当然了，没有刻意准备的交流是日常生活的一部分。但有时候如果你多考虑一下交流的技巧会让你的生活更惬意。特别是当别人不理解你或不重视你的时候，为交流做些准备是必要的。

（4）耐心倾听

交流过程中要给对方一些时间和空间。不要打断他的话或者接话茬。要知道你是希望和别人交流而不是演讲，独白，或争吵。学会真正倾听别人。

（5）别和感觉争辩

记住对有些人来说，感觉就是事实。你的朋友可能和你的感觉不同，和他们的感觉争辩你永远也赢不了。如果他们是感觉型的人的话，你只有去寻找你们的相同点。

（6）正视误解

面对这样的事实：你所理解的东西可能并不是人家要表达的。向你的朋友重复一遍她的话，说出你的理解，并征求她的意见。这会清除误会，也为深入交流打好基础。

这样表达最有效

在社交场合，出现冷场是每个人都不愿看到的局面。如果不及时打破这种沉默的场景，那么必然会影响到交际气氛，进而影响到交际的效果。你若沉稳适时地化解这种尴尬的场面，必将为沟通的深化铺平道路。

含蓄的幽默能减少沟通的"摩擦系数"

意大利音乐家帕格尼尼急匆匆地在街上奔跑。他要赶到一家大剧院演出，但是车子在路上坏了。他急急忙忙拦下一辆马车，一边催车夫快点，一边向车夫问价。

马车夫一看上车的是大名鼎鼎的音乐家，便说道："先生，您要付我10法郎。"

帕格尼尼吃惊地问道："你这是开玩笑吧？"

"当然不是，每人花10法郎买一张票去听你用一根琴弦拉琴。我这个价格不算多。"

"那好吧，我付你10法郎，不过你得用一个轮子把我送到剧院。"

车夫听完后哈哈大笑起来，说道："真不愧是大名鼎鼎的音乐家，你的要求我是没有办法做到了，那就收你1法郎吧。"

音乐家帕格尼尼对于车夫的漫天要价，没有义愤填膺，断然拒绝，而是先同意付款，然后提出了一个令车夫无法做到的条件：用一个轮子把他送到剧院。这便委婉地起到了反击车夫的作用，而且幽默的语言也让车夫欣然地降价，这比起动口动手的效果要好得多。

与幽默相联系的是智慧。在沟通中，要善于使用幽默的技巧，需要具有一定的智慧。对于一个才疏学浅、举止轻浮、孤陋寡闻的人来说，是很难生出幽默感来的。具体来说，产生幽默的条件至少应包括以下几个方面：广博的知识和社会经验；敏锐的洞察力和想象力；高尚优雅的风度和镇定自信、乐观轻松的情绪；良好的文化素养和语言表达能力。

要使自己的思维超乎常理，其智慧就在于随机应变。这一方面有赖于思维的敏捷度，而掌握恰当的幽默方式也必不可少。

　　幽默是运用智慧、聪明与种种搞笑的技巧，使人发笑、惊异或啼笑皆非，并从中受到教育。幽默不仅是智慧的迸发、善良的表达，更是一种胸怀、一种境界。幽默是人们适应环境的工具，是人类面临困境时减轻精神和心理压力的方法之一。

　　生活中，我们常常对发生在身边的幽默一笑了之，来不及感悟其中的人生哲学，又匆匆将它们忘掉。可见，生活中的每个人都应当学会幽默。多一点幽默感，少一点气急败坏、少一点偏执极端、少一点你死我活。

　　幽默可以淡化人的消极情绪，消除沮丧与痛苦。具有幽默感的人，生活充满情趣。许多看来令人痛苦烦恼之事，他们却应付得轻松自如。用幽默来处理烦恼与矛盾，会使人感到和谐愉快，相融友好。

　　幽默不是油腔滑调，也非嘲笑或讽刺。正如有位名人所说："浮躁难以幽默，装腔作势难以幽默，钻牛角尖难以幽默，捉襟见肘难以幽默，迟钝笨拙难以幽默。只有从容、平等待人、超脱、游刃有余，才能幽默。"

　　幽默是一种智慧的表现。它必须建立在丰富知识的基础上。一个人只有有审时度势的能力，广博的知识，才能做到谈资丰富，妙言成趣，从而做出恰当的比喻。要培养幽默感必须广泛涉猎，充实自我，不断从浩如烟海的书籍中收集幽默的浪花，从名人趣事的精华中撷取幽默的宝石。

　　要善于体谅他人，要使自己学会幽默，就要学会雍容大度，克服斤斤计较，同时还要乐观。乐观与幽默是亲密的朋友，生活中如果多一点趣味和轻松，多一点笑容和游戏，多一份乐观与幽默，那么就没有克服不了的困难，也不会出现整天愁眉苦脸，忧心忡忡的痛苦者。

　　培养深刻的洞察力，提高观察事物的能力，培养机智、敏捷的能力，是提高幽默的一个重要方面。只有迅速地捕捉事物的本质，以恰当的比喻，诙谐的语言，才能使人们产生轻松的感觉。当然在幽默的同时，还应注意，重大的原则总是不能马虎，不同问题要不同对待，在处理问题时要具有灵活性，做到幽默而不俗套。

说话直率往往是豪爽的表现，可有时难免遇到不便直说的情况。在这种情况下，如果直言直语，可能影响到人际关系，给自己添麻烦，而且会伤害到别人。为避免不愉快的事情发生，在某些场合说话还是要讲究一点技巧，即委婉含蓄地表达自己的观点。

用委婉含蓄的语言表达自己的想法更容易被别人接受，也更能表现出你对别人的尊敬之意，从而能够更好交流。

一个记者在一次矿难事故的报道中这样写道："老天爷看到这副惨状，他落泪了。"当然老天爷是不存在的，他是传统观念里老百姓虚构的最高的神，可现在连虚构中的神都落泪了，可见煤矿事故的悲惨。如果记者直白地用所有的词语来描述现场的惨状，不一定会引起人们这么高的关注和同情。但是，记者借用老天爷委婉地表达了自己的感情，起到了很好的作用，更能引起人们的同情。

含蓄的幽默能有效地减少我们沟通的"摩擦系数"，打开局面，拉近距离，活跃气氛，增进了解，沟通思想，产生共鸣。

有个人到一家饭店和朋友用餐，他点了一只老鳖。菜端上来后，夹菜时却发现盘中的老鳖少了一条腿，他们觉得这只老鳖肯定不新鲜了。于是就把服务员叫来，服务员无法解释，只好找来了老板。

老板看过后面有难色。

这位顾客说："老板，据我了解老鳖是一种残忍的动物。难道我点的老鳖是因为和它的同伴打架而被咬掉了一只腿？"

老板听后笑了笑，说道："没错！我猜也是这个原因。"

顾客巧妙地说："那么，就请给我调换一只打了胜仗的老鳖吧！"

老板欣然地给这位顾客调换了一只"打了胜仗的老鳖"。

顾客用了幽默的方式委婉地提出了自己的想法。这种方式没有取笑他人，没有批评他人，也没有伤及他人的自尊，既维护了饭店的声誉，又维护了自己的利益，老板当然会很爽快地答应他的要求。

其实，很多时候委婉地表达，不仅能化解别人的难堪，也会为自己解决实际问题。

这样表达最有效

含蓄的幽默是一种难度较大幽默方式，它不仅要求有高水平的话术，还要求说话有高雅且含蓄的幽默感。需要指出的是，含蓄的幽默需要以了解听众的想象力和理解力，以免听众感受不到幽默。

用幽默化解纷争，一语双赢

1944 年，富兰克林·德兰诺·罗斯福第四次连任美国总统。一位记者采访他，请他谈谈这次连任的感想。

罗斯福没有回答，很客气地先请这位记者吃一块"三明治"。记者觉得这是殊荣，十分高兴地吃了下去。总统微笑着又请他吃第二块"三明治"。他觉得总统的好意不便推却，又吃了下去。不料，总统又请他吃第三块，他简直受宠若惊，虽然不想吃，但还是勉强吃了下去。哪知罗斯福在他吃完之后又说："请再吃一块吧!"记者一听啼笑皆非，因为他实在吃不下去了。

罗斯福微笑着说："现在，你不需要再问我对第四次连任的感想了吧，因为你自己已感觉到了。"

这则笑话体现了罗斯福的睿智，他幽默地替自己解了围。

现代人际沟通中，幽默的运用越来越重要，幽默甚至被誉为"无国籍的亲善大使"。无论你从事什么职业，幽默都能使你顺利地改善困难的处境，在社交场合建立起和谐的人际关系，让你成为一个能克服障碍、得到别人喜欢和信任的乐观之人。

在人际交往中，难免遇到许多棘手的问题或尴尬的场面，恰当地运用幽默，能产生神奇的效果。

在一个小镇上，一家酒馆老板脾气暴躁，听不得半句坏话。

有一次，一个过路人在此喝酒，刚喝一口，就忍不住叫了出来："酒好酸。"老板听后大怒，吩咐伙计拿起棍子打人。

这时，又进来一位顾客。这个人问："老板为什么打人?"老板说："我卖的酒远近驰名。这人偏说我的酒是酸的。你说他该不该打?"这个人说："让我尝尝。"刚尝一口，眼睛和眉毛都挤在一起，脱口说道："你还是把他放了，打我两棍子吧。"

大家哄堂大笑，一句诙谐的话语平息了一场纠纷。

幽默是一种高级的智力活动，能够化解对方的怒火，减轻对方的怒气。所以，在语言使用过程中，善用幽默能够有助于达到我们的目的。

幽默的语言可以使我们内心的紧张和重压释放出来，化作轻松一笑。在沟通中，幽默可以化解冲突和矛盾，并能使我们从容地摆脱沟通中可能遇到的困境。

一位女士怒气冲冲地走进食品商店，向营业员嚷道："我叫我儿子在你们这儿称的果酱，为什么缺斤少两？"

营业员先是一愣，随即很有礼貌地回答："请您回去称称孩子，看他是否长胖了。"

这位女士转念一想，立刻恍然大悟，脸上怒气全消，心平气和而又不好意思地对营业员说："噢，对不起，误会了。"

这里，营业员小姐认准了自己不会称错，便剩下一种可能，即小孩把果酱偷吃了。如果明说"我不会搞错的，肯定是你儿子偷吃了"，或者"你不找自己儿子的麻烦，倒问我称错没有，真是莫名其妙"，这样非但不能平息顾客的怒气，反而会引发一场更大的争论。

营业员用幽默委婉的语气指出女士所忽视的问题，既维护了商店的信誉，又避免了一场争吵，赢得了顾客的好评。

幽默本身不会使我们高兴，但它是快乐的催化剂。如果你想通过幽默的力量来平息人生的风暴，与别人建立和谐的关系，并达成你的人生目标，那么请你赶紧将这力量付诸实践。

当你把幽默付诸实践时，你能判断别人如何反应，必要的时候改变一下方法。以幽默的力量来连接并引导你的个人生活、家庭和事业，然后看看结果如何。

钢琴家波奇，有一次在美国密歇根州的福林特城演奏，发现观众不到五成。他很失望。但走向舞台的脚灯时，他却对听众说："福林特这个城市一定很有钱，我看到你们每个人都买了三个座位的票。"于是，演奏厅里充满了笑声。

生物学家格瓦列夫正在讲课。突然一个学生在下面学鸡叫，课堂上顿时一片哄笑。这时，格瓦列夫却镇定自若地看了看自己的挂表，不紧不慢地说："我这只表误事了，没想到现在已是凌晨。不过请同学们相信我的话，公鸡报晓是低等动物的一种本能。"这种幽默的批评对学生起了警告作用。

幽默有时是文雅的，有时是具有暗示作用的，有时是高级的，有时是低级趣味的。切忌在沟通中开低级趣味的玩笑并自以为幽默。低级趣味的幽默一般形如讥笑，而一句普通的讥讽言语会让人当场丢脸，以致双方反目成仇。因此，在人际沟通中，一定要注意幽默的品位与格调。

使用幽默的谈话方式，应当因地、因时、恰如其分地使用。如果大家正聚精会神地研究讨论一个严肃的问题，而你突然插进了一句全无关系的笑话，不但不会令人发笑，反而让人觉得无趣。

如果一味地说俏皮话，无限制地幽默，其结果也会适得其反。譬如你把一个笑话反复讲了三五遍，起初人家还以为你很风趣，到后来听厌了之后，会让人感觉呆板、无聊。

如果你的幽默带着恶意的攻击，以挖苦别人为目的，还是不说为妙。再好的糖衣，如果里面包的是毒药，也会置人于死地。

任何人都喜欢聆听生动、形象、幽默、活泼的话语，因为它们总是那么有趣，通俗易懂，听着轻松、愉快。但是谈话生动、妙语连珠，有一副伶牙俐齿的人毕竟不多。要想能说好听的话，必须花相当大的工夫去积累语言的素材，去训练表达的技巧。注意以下几个方面，可以让你的幽默更有效果。

（1）恰当运用熟语

所谓熟语，是在社会上流传甚广的俗语、谚语、歇后语及成语等，交谈或辩论中巧妙运用这些熟语，能大大增强语言的表现力。

（2）自嘲

一位名人曾如是说："在别人嘲笑你之前，先嘲笑你自己。"把自己当作嘲笑的对象，不但可以消除紧张、焦虑的情绪，而且可以提升自我的修养。

（3）推陈出新

重复多次使用某些词句，别人听久了会厌烦的。这时，适当在旧词上稍稍变通或改变一下说法，就能推陈出新。

（4）扩大知识面

幽默是一种智慧的表现，它必须建立在丰富知识的基础上。一个人有审时度势的能力、广博的知识，才能做到谈资丰富，妙言成趣，从而做出恰当的比喻。

（5）乐观对待现实

学会宽容大度，克服斤斤计较，同时还要乐观。乐观与幽默是亲密的朋友，生活中如果多一点趣味和轻松，多一点笑容和游戏，多一点乐观与幽默，那么就可以克服困难，成为一个乐观者。

这样表达最有效

用生动形象、委婉含蓄的语言，友善地提出自己对现实问题的见解，能使对方在愉快的情境中，欢乐的笑声中接受批评教育，从而改正自己的缺点和错误。

化被动为主动应对嘲笑

有一位著名的丑角叫吐鲁斯。在一次演出幕间休息的时候，一个很傲慢的观众走到他的身边，讥讽地问道："丑角先生，观众非常欢迎你吧？"

"还好，"吐鲁斯谦虚地答道。

"要想在马戏班中受欢迎，丑角是不是就必须具有一张愚蠢而又丑怪的脸蛋呢？"

"确实如此，"吐鲁斯回答说，"如果我能生一张像先生您那样的脸蛋的话，我准能拿到双薪。"

这位傲慢的观众的脸蛋，同吐鲁斯能不能拿双薪，其实是无丝毫内在联系的，但幽默地吐鲁斯却巧妙地把它们联系在一起，产生了强烈的幽默感，对这位傲慢的观众进行了讽刺。

在社交场合中，有时会遇到别人有意或无意抢白你，奚落、挖苦、讥讽你，面对这些情况你该怎么办？有随机应变能力的人，能调动自己的智慧，化被动为主动，使尴尬烟消云散。"兵来将挡，水来土掩"，可视不同的对象选择不同的应付办法。

俄国寓言作家克雷洛夫，皮肤生得较黑，但偏偏又喜欢穿黑衣服。一天，他在路上遇到了两个穿得花里胡哨的公子哥儿。其中有一个见到了克雷洛夫，就阴阳怪气地对他的同伴说："看啊，飘来了一朵乌云！"克雷洛夫应声答道："怪不得青蛙高兴得叫了。"克雷洛夫如法炮制，接过话头儿，教训了对方。

若判明来者意图不善，是怀有恶意、故意挑衅的话，你可以"以眼还眼，以牙还牙"，有理、有节、有礼貌而巧妙地回敬对手，针锋相对，将"原物"顶回。

著名律师汤姆被选为议员以后，仍然穿着乡下人的服装从农庄到了波士顿。当他在一家旅馆客厅里休息时，听到一群衣冠楚楚的绅士淑女在议论他："啊，来了一个地道的乡巴佬，我们过去逗逗他。"于是，他们就走过去，把汤姆围起来，向他提出一些怪问题，嘲弄他。汤姆站起来，郑重地说："你们仅仅从我的衣着看我，不免会看错了人，以为我是一个乡巴佬。而我呢，因为同样的原因，以为你们是绅士淑女。其实，我们都错了。"这一句话，揭露了对方"金玉其外，败絮其中"的为人，使嘲弄者反受到了嘲笑，同时也提醒他们不要犯以貌取人的世俗错误。

有的时候，可能会遇到棘手犯难的问题。对此，若以幽默谐趣的方式回答，往往会"化险为夷"，改变窘态。在"山重水复"的时候，转为"柳暗花明"，使尴尬的局面消失在谈笑之中。

俗话说："防人之心不可无，害人之心不可有。"练就随机应变的语言表达能力很重要，但切不可主动进攻、出口伤人，而且自我防卫要注意有礼貌。

在与人交涉的过程中，难免会遇到一些心胸狭隘、不顾及别人情面的人。他们可能会在你偶然犯错误或者失态的情况下，嘲笑你的不慎或者失误，从而使你难堪。往往这个时候，我们都会显得手足无措，不知如何是好。下面的几种方法能帮助你摆脱困境，还能帮你赢回自信。

（1）隐含锋芒法

当来自对方的嘲笑是出于无知或轻浮时，你也可以不直接进行反击，通过说明事实真相的方式，就能心平气和地给对方的失礼行为加以分量不轻的教训。这种方式看似平常，但是既有很强的教育作用，又能显示说者的风度雅量。

这种应对方法，不是那么锋芒毕露，咄咄逼人，而是在平心静气，甚至是在谈笑风生之中，通过陈述事实，说明道理，揭露对方的无知。当情况点明时，对方已经无地自容了。有时候，这种方式比直接反驳的效果更好。

（2）以牙还牙法

如果嘲笑者是蓄意挑衅，污辱人格，拿人的生理缺陷寻开心，这时被嘲笑者不必客气，要以其人之道还治其人之身，以强烈刺激性的语言给他们来点教训，使对方"哑巴吃黄连"。

对于他人有意侮辱人格的嘲笑应以眼还眼，以牙还牙，进行自卫还击，可以收到一招制胜的效果。

（3）幽默解窘法

当对方嘲笑的是自己的确存在的事实时，如果自己矢口否认，反而是在欲盖弥彰；如果恼羞成怒，也会错上加错。这时，不妨采取幽默方式给以应对，使自己体面地从窘迫中走出来。

幽默解窘法虽然可以为自己解窘一时，但是有护短和狡辩之嫌。因此，它只能作为权宜之计，暂时给自己一个台阶下，进而要从对方的嘲笑中认识到自己存在的问题，并下决心改正，这才是正确地做法。

（4）强忍自激法

如果对方的嘲笑并不涉及自己的人格，而且说的又是事实，只不过是用语尖刻了一点，使自己的面子有些过不去时，你大可不必进行反击。此时，你不如将对方的羞辱化作动力，下决心改变事实，提高自己，最终为自己挽回面子。当你扬眉吐气之时，对方也会感到自愧。

这样表达最有效

如果有人用过于唐突的言辞使你受到伤害，或叫你难堪，你应该含蓄应对，或装聋作哑、拐弯抹角、闪烁其词，或顺水推舟、转移"视线"、答非所问，谈一些完全与其问话"风马牛不相及"的事，用这种委婉曲折的方法反驳对手，肯定会取得奇特的功效。

第四章
和气地讲道理：克制自己的不良情绪

　　每个人都会遇到不如意的事，产生不良情绪。而那些懂得克制自己情绪的人往往能在人际交往的过程中保持理智，刚柔并济，用最平和的方式完成谈话。

宽容和尊重是最好的相处方式

1863 年 7 月，盖茨堡战役展开。在敌军陷入了绝境时，林肯下令给米地将军，要他立刻出击敌军。但米地将军迟疑不决，用尽了各种借口，拒绝出击。结果，敌军顺利逃跑了。

林肯勃然大怒，他坐下来给米地将军写了一封信，表达了他的极端不满。但出乎常人想象的是，这封信林肯并没有寄出去。

在林肯逝世后，人们在一堆文件中才发现了这封信。也许林肯设身处地地想了米地将军当时为什么没有执行命令，也许他想到了米地将军见到信后可能产生的反应，米地可能会与林肯辩论，也可能会在气愤之下离开军队。

木已成舟，把信寄出，除了使自己一时痛快以外，还有什么作用呢？

尖锐的批评和攻击，所得的效果都是零。批评就像家鸽，最后总是飞回家里。当我们想指责或纠正别人时，他们会为自己辩解，甚至反过来攻击我们。成功的经验告诉我们：学会宽容和尊重，才能更好地与人相处。

一天，丈夫回到家，发现屋里乱七八糟，到处是乱扔的玩具和衣服，厨房里堆满碗碟，桌上都是灰尘……他觉得很奇怪，就问妻子："发生了什么事了？"妻子回答："平日你一回到家，就皱着眉头对我说：'一整天你都干什么了？'所以今天我就什么都没做。"

不要指责他人，并不是说放弃必要的批评。这里的原则是要抱着尊重他人的态度，以对方能够接受的方式来批评。

一家工厂的老板，这天巡视厂区，看到几个工人在库房吸烟，而库房是禁止吸烟的。他没有马上怒气冲冲地对工人们说："你们难道不识字吗？没有看见禁止吸烟的牌子吗？"而是稍停了一下，掏出自己的烟盒，拿出烟给工人们，并说："请尝尝我的烟！不过，如果你们能到屋子外去抽的话，我会非常感谢的。"工人们则不好意思地掐灭了手中的烟。

我们喜欢责备他人，常常是为了表现自己的高明。有时，也有推卸责任的目的。如果我们谦虚一些，严格要求自己一些，这对自己只有好处，绝无坏处。

在你想责备别人时，请马上闭紧自己的嘴，对自己说："看，坏毛病又来了！"这样，你就可以逐渐改掉喜欢责备人的坏习惯。

有的人只相信自己，不相信别人，让人避而远之；有的人总喜欢严厉地责备他人，使对方产生怨恨，不觉中使彼此的沟通难以进行，事情也办得一团糟。成功人说，只有不够聪明的人才批评、指责和抱怨别人。

在交涉场合中，往往有些人会不顾及别人的面子，当众指出你的不足与缺点，使你手足无措，陷入尴尬的境地。面对这种情况，你可以运用以下几种方法应对。

（1）请难应变法

当你处于窘境之时，可以反问对方一个问题，让对方来回答，从而把对方和听众的注意力都转移到你提出的问题上，这就是请难应变法。

（2）有意曲解法

在与人交涉的过程之中，当你遭到恶意攻击并陷入难堪境地时，你可以抓住对方语言中的某个词或某句话，进行有意曲解，这样做既可以解脱窘境，还可以用来嘲讽对手。

被人当场指责实在是让人难堪至极，若和对方针锋相对地去争辩，也会有失风度。你若故意曲解对手的话语，不但让对手苦不堪言，自己也可以体面地下了台。

（3）超常想象法

在与人交涉时，当你因做错事或说错话而受到对方的指责时，若一味地去狡辩，只会影响你的形象，此时，你应发挥超常想象，在困境中展示你的才智和应变能力，将问题转移。

受到客人指责时，简单道歉或辩解是不能迅速化解客人心中不满情绪的。发挥超乎常人的想象，始终避开正面交锋，并借助偶然的因素所造成的失误构成某种歪曲的推理，可以有效化解客人的不满。

（4）逆向释因法

面对对方的攻击，如果你能借用对方的说理和推理方法反向攻击，便能从困境中解脱出来。从相反的方向攻击，可以轻而易举地制服对方。

（5）歪问歪答法

与人交涉时，若顺着对方问话老老实实地作答，有时就会陷入对方设置好的陷阱。所以，针对对方提出的怪问题，你不妨来个歪问歪答，巧妙过关。

这样表达最有效

指责别人实在不是一种好习惯。你会伤害别人也会伤害你自己，别人不舒服你也不会舒服。

对方蛮不讲理，你更要保持理智

20 世纪 30 年代，一位英国商人伯纳尔向香港著名的茂隆皮箱行订购了 3000 只皮箱，总共价值 20 万港币。

双方签订的合约中明确规定，全部的货物要在一个月之内交付，如果逾期，卖方必须赔偿英商 10 万元港币的损失费用。

在日夜赶工之下，茂隆皮箱行经理冯灿在一个月内如期向英商交货。

没想到交货的时候，一开始就存心讹诈赔偿费用的伯纳尔，无计可施之余，居然莫名其妙地质疑："你们的皮箱夹层使用了木板，这批货不是我们要的皮箱，你们必须重做'真正的皮箱'！"

面对伯纳尔的无赖行径，冯经理怒不可遏，双方多次交涉无效后，只好闹上法院。然而，同为英国人的法官有意偏袒伯纳尔。所幸，冯灿委托的律师罗锦文冷静处理，赢得了最后的胜利。

在最后辩论过程中，罗锦文面对强词夺理的奸商和具有排华情结、心怀偏颇的法官，随手从口袋里掏出了一只英国出品的金表，高声问法官："法官先生，请问这是什么表？"

只见法官神气地说："这是大英帝国的名牌金表，可是我提醒你，这金表与本案毫无关系！"

"当然有关系！"罗锦文高举金表，继续大声说道："这是一只金表，我们尊敬的法官已有定论，恐怕没有人表示异议了吧？但是，我想请问各位，这块金表除了表壳是以少量黄金打造以外，内部机件都是黄金材质的吗？"

法官和伯纳尔这才发觉，他们中了律师的"圈套"。但是，为时已晚，自己言之确凿的回答，早已成为对方最有利、最无可辩驳的证据。

罗锦文抓准时机地继续说："既然金表中的部分零件允许非黄金材料，那么，皮箱中的部分材料为何非要全都是皮制品呢？我们可以很明显地知道，在这个皮箱案中，纯粹是原告伯纳尔无理取闹，存心敲诈而已！"

于是，在众目睽睽之下，伯纳尔哑口无言。法庭不得不判伯纳尔诬告罪，并罚款5000元港币了结此案。

生活中，我们难免会遇到蛮横无理的人，此时，不要一味强调自己的立场，应该避开双方相持不下的情况，为自己找到绝佳的出口。懂得以巧妙的迂回战术避实就虚，用对方的逻辑来打败对方，这才是聪明人获得胜利的关键因素。

有的时候，明明你是对的，理在你这里，但是为了保全别人的脸面，即使有理也不一定要气壮。

在一家餐馆里，一位顾客粗声大气地嚷着："小姐，你过来，你过来！"他指着面前的杯子，满脸怒气地说："看看，你们的牛奶是劣质的吧，看把这杯红茶都糟蹋了！"

"真对不起！"服务小姐笑道，"我立刻给您换一杯。"

新红茶很快端来了。茶杯跟前仍放着新鲜的柠檬和牛奶。小姐把红茶轻轻放在顾客的面前，又轻声地说："我是不是能向您建议，如果在茶里放柠檬，就不要加牛奶，因为有时候柠檬会造成牛奶结块。"顾客的脸一下就红了。他匆匆喝完茶，走了出去。

有人笑着问服务小姐："明明是他没理，你为什么不直说呢？他那么粗鲁地叫你，你为什么不给他一点颜色瞧瞧？"

服务小姐说："正因为他粗鲁，所以我要用婉转的方式对待。正因为道理一说就明白，所以用不着大声。理不直的人，常用'气壮'来压人。理直的人，要用'气和'来交朋友。"

客人们都佩服地点头笑了，对这家餐馆也增加了许多好感。

有理不在声高。"理直气和"往往比"理直气壮"会收到更好的处世效果。

在社交活动中，有的人蛮横不讲道理，如果你一再忍让，他还会得理不饶人，这时，你也要来点硬的，以牙还牙，但是，要讲求点艺术。

（1）态度冷静

遇事最忌讳的就是浮躁。一语不合，就脸红脖子粗，暴跳如雷，这是泼妇骂街之术。强者必须态度镇静，行若无事。一般的吵架，谁的声音高便算谁有理，谁的来势猛便算谁赢了；可是真正的强者，乃能避其锋而击其懈。你等他骂得疲倦、无话可说的时候，轻轻地回敬一句，就会让他再狂吼一阵。

（2）旁敲侧击

他偷东西，你骂他是贼；他抢东西，你骂他是盗，这是笨人的方法。旁敲侧击，在紧要的地方只要一语便可。越要打击他，你越要原谅他，即便说些恭维话也不为过，这样的方法才能显得你所说的句句是真实确凿，让旁边的人看起来也佩服你的度量，并让对方自惭形秽。

（3）言语委婉

说人要说得微妙含蓄。你说他一句要使他不觉得是挨骂，等到想一遍后才慢慢觉悟这句话不是好话，让他笑着的面孔由白而红，这才是强者。如果说得委婉，则首先不要说出不堪入耳的脏话。再者，最好不要加入种种难堪的名词，称呼起来总要客气。即使他是极其卑鄙的小人，你也不妨称他先生。越客气，语言越有分量。

（4）预设埋伏

说话之前，你便要想想看，他将用什么话回应你。有长远考虑的人，便会处处留神，或是先将他要讥讽你的话替他说出来，或是预先安设埋伏，令他讥讽回来的话失去效力。他讥讽你的话，你替他说出来，这就如同缴了他的械一般。预先安设埋伏，便是在要攻击你的地方，你先轻轻地埋下话根，然后他讥讽过来就等于枪弹打在沙包上，对你产生不了伤害。

这样表达最有效

跟蛮横无理的人硬"杠",即便赢了也是"杀敌一千,自损八百"。不如避开锋芒,从对方的逻辑上下手,以子之矛、攻子之盾,往往能收到奇效。

对方故意刁难，"以柔克刚"化解敌意

1982 年秋天，在美国洛杉矶召开的中美作家会议上，美国诗人艾伦·金斯伯格对中国作家蒋子龙说："作家先生，请您猜个谜语，怎么样？"蒋子龙微笑着点点头。

不料，艾伦·金斯伯格又说："我这个谜语可是讲了 20 年，一直没有人能破得了的！"继而他的脸上显现出一副得意而又狡猾的样子。

蒋子龙不甘示弱地对他说："我从 3 岁开始就猜谜语，还没有我猜不破的谜语。"

"那好，谜语是这样的：把一只 2.5 公斤的鸡放进一个只能装0.5 公斤水的瓶子时，您用什么办法把它拿出来？"

蒋子龙略加思索，沉着冷静地说："您怎么放进去，我就怎么拿出来。您既然是凭嘴一说就把鸡装进去了，那么我就用语言这个工具再把鸡拿出来。"

艾伦·金斯伯格无言以对。过了一会儿，他竖起大拇指说："您是第一个猜中这个谜语的人。"

制作这个谜语能够表现出诗人的丰富想象力，而蒋子龙则根据对方的思路，也凭借自己的想象，沉着机智地用语言这个工具再把鸡拿出来，成为第一个猜中这个谜语的人。这不能不说得益于他的冷静与智慧的言语策略。

阿基诺夫人竞选菲律宾总统时，深得选民们的信赖。竞选对手马科斯不服，在媒体上讥讽阿基诺夫人缺乏经验，说："最合适女人的场所是厨房。"

阿基诺夫人听说后，沉稳地反唇相讥："我承认我的确没有经验，我没有马科斯那种欺骗、说谎、盗窃或暗杀政敌的经验。我不是独裁者，不会撒谎，不会舞弊。我虽然没有经验，但我有的是参政的诚意。选民们需要的就是一个和马科斯完全不同的领袖。"

阿基诺夫人面对马科斯充满敌意的丑化与嘲笑并没有直接进行反驳，而是先承认自己的弱势，承认自己缺乏经验，接着又指出，马科斯富于经验，而经验又是些什么乌七八糟的东西呢？这样，马科斯的攻击顿显苍白，优势与劣势在瞬间转化了过来。

与人交涉的过程中，总是无法避免地遭遇到对自己充满敌意的人，也许是因为一些莫须有的传闻，也许是因为情感、经济等利益的冲突，也许是因为对问题的主观看法和立场不同。如果对方的敌意只是沉默的，倒还好一些。可是，如果对方的敌意以责难、污辱甚至人身攻击的方式爆发出来，我们该如何应对呢？这时，逃避当然是懦夫的行为，我们不能容忍自己的形象和尊严被人玷污。但是，面对面地与其争吵、甚至谩骂，只会使彼此的矛盾升级，造成无法收拾的后果。

在人与人的交往中，并不是每个人都会对你和颜悦色、欣赏有加。有很多人喜欢刁难别人，喜欢挑战别人忍耐的极限。在面对这样的人挑战你的时候，你是选择大发雷霆、强硬对抗，还是冷静地面对，巧妙地处理呢？

英国首相威尔逊在一次群众大会上做演讲时，反对者在下面大喊。其中，有一人大喊"垃圾"，对威尔逊进行人身攻击。为了不使一场严肃的演讲变成可笑的争吵，威尔逊用平静的口气说道："先生，您关心的问题，我们一会儿再讨论。"

威尔逊幽默巧妙地使用了"代换法"来对付人身攻击。别人说威尔逊是"垃圾"，威尔逊就把"垃圾"代换成对方"特别感兴趣的问题"。如此巧妙地反戈一击，自然会令那位自作聪明者成为众人讥笑的对象。

面对尖锐的敌意，不急于一逞口舌之快，而是理智地采取暗示、幽默反讽、侧面提示等方法，把极具威胁的敌意化于无形，你刚我柔，把万钧压力消弭于无形中。

在与人交涉时，运用以下的几种方法就能化解敌意，甚至能化敌为友，进而使我们在社交中建立更好的关系。

（1）用幽默来转化

在与人交涉的过程中，充满敌意的一方，为了污蔑对方，常常赋予对方某一丑化的形象。此时，反戈相击，又不费吹灰之力的办法就是，将丑化的形象代换给对方。

（2）从侧面提示对方

不直接劝解对方放弃敌对态度，而通过与正题不相干的话题委婉地暗示对方，使其意识到自己的敌对态度并不利于事情的解决，从而能收到直接劝解所起不到的作用。

（3）以退为进

以退为进，先承认自己在某一方面的劣势，然后再反唇相讥，揭露对方所谓优势的不正当性，从而反衬出自己的劣势才是真正的优势。

（4）争取多数人的支持

在人数众多的交际场合，应把握大多数人的心理特征，争取他们的理解与支持，使少数敌对者处于孤立的地位，这样一来，他们就不敢放肆了。

这样表达最有效

当你面对别人故意刁难和挑战时，你身处的局面难免会很尴尬，进退两难。首先不要发怒，要冷静地面对责难，然后迅速地找到对方的思考逻辑，并且用同样的方式请对方予以解释，使对方知难而退，从而化解难题。

心平气和地交谈，化解意气之争

某个政党有位刚刚崭露头角的候选人，被人引荐到一位资深的政界要人那里，希望这位政界要人能告诉他一些在政治上取得成功的经验，以及如何获得选票。

正式谈话前，这位政界要人提出一个条件："你每次打断我说话，就得付 5 美元。"

候选人说："好的，没问题。"

"现在，马上可以开始。"

"很好。第一条是，当你听到人们对自己的诋毁或者污蔑，一定不要感到愤慨。随时都要注意这一点。"

"噢，我能做到。不管人们说我什么，我都不会生气。我对别人的话毫不在意。"

"很好，这就是我经验的第一条。但是，坦白地说，我是不愿意你这样一个不道德的流氓当选的……"

"先生，你怎么能……"

"请付 5 美元。"

"哦，啊！这只是一个教训，对不对？"

"哦，是的，这是一个教训。但是，实际上也是我的看法……"

"你怎么能这么说……"

"请付 5 美元。"

"哦！啊！"他气急败坏地说，"这又是一个教训。你的 10 美元赚得也太容易了。"

"没错，10 美元。你是否先付清钱，然后我们再继续？因为，谁都知道，你有不讲信用的赖账的'美名'……"

"你这个可恶的家伙！"

"请付 5 美元。"

"啊！又一个教训。噢，我最好试着控制自己的脾气。"

"好，我收回前面的话，当然，我的意思并不是这样。我认为你是一个值得尊敬的人物，因为考虑到你低贱的家庭出身，又有那样一个声名狼藉的父亲……"

"你才是个声名狼藉的恶棍！"

"请付 5 美元。"

这是这个年轻人学会自我克制的第一课，他为此付出了高昂的学费。

最后，那个政界要人说："现在，就不是 5 美元的问题了。你要记住，你每一次发火或者你为自己所受的侮辱而生气时，至少会因此而失去一张选票。对你来说，选票可比银行的钞票值钱得多。"

生气会对自己造成伤害，然而，伴随生气而来的恶言恶语还有可能对别人造成更大的损害。

语言可以伤人于无形，你一时不经大脑，脱口而出的话语，有可能成为别人终身的阴影。当我们情绪不佳的时候很容易说出伤人的话，这个时候我们要及时弥补自己犯下的错误，向被你伤害的人以你认为最好的方式说声"对不起"。

一位年轻人在年迈的富人家里担任钟点工，每天除了清洁工作，还有半个小时的"陪读"任务。

一天，这名年轻人不小心把花瓶与笔筒的位置放反了。这原本不是什么大事，年迈的富人却大发雷霆，指着年轻人的鼻子大骂笨蛋。

年轻人一言不发地忍耐着，因为他相当同情这名老人，除了骂人的舌头外，他已别无利器。

在将近十分钟的咒骂后，老人好不容易平息下来，要求年轻人进行每天的例行公事——读一段故事给他听。

年轻人翻着书，找到一个相当吸引人的章节，上面写着："南洋所罗门岛上的一些土著，每当树木长得过大，连斧头都砍不了时，他们就会对着树木集体叫喊，直到树木倒下为止。喊叫扼杀了树木的生命，比任何刀棍、石头都还具有杀伤力；正如那些尖酸、刻薄、粗鲁的言语，往往会刺伤人的内心。"

年迈富有但性格怪僻的老人听了这个故事，沉默许久。当年轻人把咖啡送到他面前，准备为他加糖时，老人抬起头来，脸上出现难得的慈祥笑容，亲切地说："不用加糖了，你的故事已经为我加了糖！"

一时之气，造成自己的火山爆发是小事，但是对那些被火山余烬灼伤的人们，却有可能造成难以弥补的伤害。

盛怒之下，体内血球不知道要伤损多少，血压不知道要升高几许，总之是不利于健康的。而且血气沸腾之际，理智不大清醒，言行容易过分，于人于己都不相宜。

为别人所犯下错误生气，你无疑是在拿别人的错误来惩罚自己，想一想，这是多么划不来。为突来的情绪生气，你发了一场熊熊的无名火，想一想，这对别人来说，又是多么的不公平。

如果不能控制自己的脾气，那么至少要懂得控制自己的嘴巴。生气时，请不要随便开口，你在这时吐出来的话，往往都不会是"象牙"。

你常生气吗？如果生气是你的常客，建议你找出自己的"情绪温度计"，或来一场"与怒气的心灵对话"，彻底赶走怒气。经常生气就像不断的小感冒，严重影响工作和生活。

这样表达最有效

他人气我我不气，我本无心他来气。倘若生气中他计，气出病来无人替。

和人抬杠，自己难免吃亏

一般情况下，抬杠的结果会使双方比以前更相信自己的观点是绝对正确的，但是你永远也赢不了争论。要是输了，当然你就输了；即使赢了，实际上你还是输了，因为你伤了对方的自尊，对方会对你产生怨恨之情。

哥儿俩出外打猎，看见远处飞来一只大雁，两人就张弓搭箭准备射雁。

哥哥说："现在的雁肥，射下来煮着吃。"

弟弟反对："大雁还是烤了吃，又香又酥。"

哥哥急了："我说了算，就是煮着吃！"

弟弟也不让步："这事儿该听我的，非烤不行！"

两人争执不下，一直吵到村里的长辈面前。

老人家给他们出了个主意：射下来的大雁，一半煮着吃，一半烤着吃。哥儿俩都同意了。等到他们再回去射雁的时候，那只大雁早已飞得无影无踪了。

无谓的争论除了会破坏大家的感情外，毫无意义。带有偏执的、明显攻击性的争吵，就像恶魔一样，吞噬着人们之间的友情。辩论双方因固执地坚持自己的观点而争吵得面红耳赤、难分胜负，往往为芝麻大的事钻牛角尖，结果两败俱伤。

本杰明·富兰克林说："如果你老是抬杠、反驳，也许偶尔能获胜，但那只是空洞的胜利，因为你永远得不到对方的好感。"

你自己要衡量一下，是宁愿要一种表面上的胜利，还是要别人对你的好感。你可能有理，但要想在争论中改变别人的主意，一切都是徒劳。

爱抬杠的人一般表现为不给别人发言的机会，并经常对别人说的话发表不同意见，其实这是一种自恋和逆反心理的表现。

有自恋心理的人特别在乎自己的感觉，不会换位思考，更不会替他人着想。自己往往喜欢扮演一种救世主的姿态，觉得什么事都应该自己说了算，别人都应该听他的。有逆反心理的人往往是由一种成长经历未完成的情绪所致，以往没有得到表述，没有得到尊重的机会，希望能在后天中寻求补偿。

想要表现自己的与众不同，赢得他人的尊重和重视，你可以采用其他的办法。爱抬杠只会破坏你在他人心目中的形象，让别人觉得你是一个"杠头"。

不要以为"快言快语"就是好口才。事实上有很多的"败嘴"恰恰就是败在他自我感觉良好的"快言快语"上。"快言快语"容易学，但在快言快语下不出语失，那可就难了。真正既能快言快语，又能很少出语失的人毕竟都是一些语言天才。凡夫俗子，逢人逢事未思发语，其结果自然正误难料。

切记，不要跟人抬杠。你的看法也许很正确，但不能因此就认为别人的看法不正确。坚持自己的意见与容纳别人的意见不是矛盾的。

有个人曾对相熟的朋友说，他不会和同学中的某个同学再合作了。

朋友很惊讶，就问他："你们是同学，生意上又可以互惠互利，为什么呢？"

那个人说："这么多年了，我那个同学还是一点长进都没有。我听着他嚼口香糖的声音就想吐，还有我拉他去跟人家谈判，出来后我真为有这样的同学而丢人。他的形体语言太夸张了，总是喜欢跟别人唱反调，一直到双方都十分尴尬才住嘴，让对方觉得我们跟人家不在一个层次上，怎么做生意啊！"

其实，那位同学人不错，也有不少其他优点，但修养、个性上的这些小问题竟然给他带来如此大的负面影响，真是出人意料。

　　我们和人抬杠、辩论、反驳，有时或许会取得胜利，但这种胜利是最为空洞的。我们要关注于自我修养的提升，这对于我们今后的人生或者发展都会获益良多。

这样表达最有效

　　和人抬杠，你输了，至少会丢了面子，当然会吃亏；你赢了，会使对方丢了面子，让对方对你怀恨在心，自然也是一种吃亏。所以，无论何时，避免和人抬杠才是明智的选择。

求同存异，创造出"是"的局面

在沟通过程中，最基本的一条原则就是求同存异。所谓求同就是追求共同目标，有共同喜好。所谓存异就是指在某些问题上，如果双方观点不能达成一致，应该允许对方拥有不同观点，保留自己的意见，而不是强求对方接受自己的观点。

一家化妆品公司的推销员去拜访一位老客户，没想到客户主管一见到推销员就说："你怎么还好意思来推销你们的产品？"

这句话把推销员说愣了。经过询问，推销员才明白，原来，客户主管认为他们刚购进的化妆品并不适合北方人的肤质，而此化妆品正是这位推销员推荐的。

推销员很快镇定下来，微笑着说："其实我和您的观点一样，如果这批化妆品不适合北方人保湿的要求，那你们就会退货，对不对？"

"是的。"

"按照北方的气候，化妆品保湿效果应该在 12 小时左右，对不对？"

"是的，但是在使用你们的化妆品后，不到 10 个小时，实验模特的脸就有紧绷的感觉了。"

推销员没有马上为自己辩解，只是问了一个问题："这个房间的温度是多少度？"

"我们的空调室温设定在 24℃。"

"房间因为加装了空调又没有开窗，几乎处于全封闭环境中，空调房间的温度比一般室外的温度还要低，是这样吗？"

客户主管点点头。

推销员继续说："我们这一款产品，所设定的保温度是在常温状态下对皮肤所起的保温作用，不同的温度环境下肯定有一点差别，但并不代表我们的产品没有做到 12 小时的保湿效果。"

客户主管听后，便恍然道："你说得有道理。"

最后，双方的合作不但没有终止，这位客户主管还追加了一批货物。

如果推销员一味强调自己的产品多么好，产品没有达到效果，那是你们的环境所致，和产品的质量没有关系，这样说肯定会引起对方的愤懑和争辩。相反地，推销员通过引导，让对方承认产品没达到效果是因为他们的使用环境不合适，这就能顺利地引导对话向良性的方向发展。

在生活中，两个性格相投的人很容易成为好朋友，可是即使关系很融洽，希望成为亲密无间的好友也很难。原因何在？这是因为人心是非常复杂的，人与人即使意气相投，也不可能透彻地了解和理解对方。因为每个人都是独立存在的，由于生活环境、知识、人生阅历的不同，必然产生差异，观点不可能完全相同。即使是同一个人，脾气也会随着外界环境的变化而改变，更不用说是两个人了。

希望成为好朋友，百分之百地了解对方是不可能的，所以要懂得包容，给别人一定的空间，学会求同存异，不要搞那种"一对一"的交往。与朋友相处，应该坦诚相见，求同存异。不能要求朋友完全按照自己的思维方式去思考或办事，也不能要求朋友和自己有完全相同的兴趣爱好。实际上，正是因为性格、爱好的不同，才能够相互吸引，互相学习。如果我们处处强求对方和自己一致，只会造成对立。只有相互尊重、相互理解、才能使友谊更稳固、更持久。

有时候，朋友之间难免会发生争执。我们在谈话的时候，应该注意，尽量不要把谈话的重心放在"异"上，而应该放在"同"上。

与别人交谈，不要先讨论你们观点不同的一面，而是应该不断强化与对方相同的一面。这样才能拉近彼此的距离，达到你的目的。

在人际沟通中，不管是与关系很好的朋友，还是初次见面的陌生人，都应该坚持以求同存异的原则进行沟通。这是对别人的尊重，也是给自己带来好人缘的重要方法。懂得了这一点，你在人际沟通中就能够如鱼得水，游刃有余，灵活自如地处理各种人际关系。

公司的经营者通常会欣赏和重用任劳任怨、负责尽职的员工；而对满腹牢骚、得过且过的员工，经营者则不重用并感到头痛，甚至想把这样的员工辞掉。而曾任本田公司副总经理的西田通弘则反对把后者开除。他认为上上之策是：一方面容忍，一方面要尽力把不满情绪减至最低程度。

他举了这样一个例子来说明他的观点。

森林并非整整齐齐只栽种一种树木。一个茂密完整的森林必定包括五六十公尺高的挺拔大树、三十公尺的次高树木、一二十公尺的低矮的树木以及杂草等。假如只栽种挺拔的大树，把矮树与杂草全都铲除的话，留下来的大树就会逐渐衰弱，最后枯黄死亡。同样的道理，如果把不合己意的异议分子开除的话，就像在森林里铲除矮树与杂草一样，企业就难以长久地发展。

人的弱点之一就是希望别人欣赏、尊重自己，而自己又不愿意去欣赏和尊重别人。人非常容易看到别人的缺点而很难看到别人的优点，我们必须克服这些人性的弱点。客观地观察别人和自己，你会惊奇地发现，原来自己还有许多不足，而身边的人都有值得你学习、借鉴的地方。我们不能因为别人有一点比你差的缺点就去否定别人，而应该因为别人有一点比你强的优点而去欣赏和尊重别人，肯定别人。

用欣赏人、尊重人的方式去处理人际关系有许多好处：其一，成本最低，不用花费金钱去请客送礼，不用伪装自己去浪费感情；其二，风险最低，不必担心当面奉承背后忍不住发牢骚而露馅，不必担心讲假话，提心吊胆，梦寐不安；其三，收获最大，因为你能真心尊重和欣赏别人，你便会去学习别人的优点去克服自己的弱点，使自己不断地完善和进步。

人与人之间往往由于经历、立场等方面的差异，对同一个问题，会产生不同的看法，当同事之间因为工作原因发生分歧时，千万不要过分争论，不能强求他人接受你的观点。面对问题，特别是在发生分歧时要努力寻找共同点，争取求大同存小异。

这样表达最有效

人与人沟通的过程中，不管双方的分歧有多大、矛盾有多深，总会有一些共同语言、利益以及愿望等等。一个人要会利用这些共同点，创造出"是"的局面，心平气和地与人讨论，这才是可遵循的交友之道。

出言不逊，只会使情况恶化

人们常说："言语伤人，胜于刀枪。"许多人常以"嘲弄"他人或者与他人"斗嘴"为乐。有些虽然是属玩笑性质，但总让人觉得不妥，毕竟"尖酸刻薄""有失厚道"的言语批评，会使听者产生不悦；严重的，遭到杀身之祸，后悔莫及。

2006 年德国世界杯快要结束时，最后一场法意冠军争夺战中，齐达内用光头撞倒马特拉齐的那让人目瞪口呆的一幕，留给全世界球迷一个疑问："怎么了？"

从现场画面中我们可以看到，马特拉齐并没有对齐达内动手，肯定是出口伤人的语言！究竟马特拉齐说了些什么话，惹得一向动作优雅的齐达内做出如此惊人的举动？

这事在网上传得沸沸扬扬，关于马特拉齐对齐达内究竟骂了什么流传着两种版本：其一是电视台通过解读"唇语"来破译得出一个答案："你姐姐是个妓女！"其二是某国电视台解说员在赛后公布的说法："你是意大利养出来的一条忘恩负义的狗！"

不管答案是什么，有一点是肯定的，马特拉齐出口伤人了。能让齐达内这样被人称为"喜怒不形于色、非常能控制自己的人"失控和爆发，可以想象语言污辱与冒犯的程度。

有些时候，侮辱的语言比暴力还要具有更大的威胁。在情绪高涨，比如盛怒之时，为求发泄，人们通常会讲一些伤害对方的话。这种"无理之失"所构成的伤害、祸害，往往令人难以想象。大概许多人都会有这种经验。如果言语轻率不慎的话，导致误会曲解、牵连的可能性极大。

在古代社会，因为说错话而招致灾祸的例子不胜枚举。尤其是在古代尊卑有序的体系中，说话稍有不慎就会大祸临头。在现代社会，因为说错话、说不当的话、说不负责任的话，而给自己带来不好的影响和结果的例子，也屡见不鲜。不要以为仅仅是一句话而已。一句不适当的话可能给你带来不希望的改变或是结局。管好自己的嘴巴才能说明你是个聪明人。俗话说："祸从口出。"一个不小心，就会为自己招来祸端。

不管是什么样的人，只要被一些不中听的话激怒，都可能会因情绪状态失控，而口出狂言，大打出手，甚至弄得鼻青脸肿。

我们时常可以听到这种说法，"不能美言，则免开尊口。"我们不该当面指责，更不要冷嘲热讽，而应语气委婉，抱着"不在乎说什么，而在乎怎样说"的态度。

在现实生活中，因词不达意、语言尖刻抑或"刀子嘴豆腐心"而惹人生厌的人比比皆是。激昂慷慨，言人所不敢言，对方自会发生辛辣的反应；晦涩难懂，言辞拙讷，对方自会发生苦涩的反应；一味诉苦，到处乞怜，对方自会发生寒酸的反应；好放冷箭，伤人为愉，伤人越甚，越以为快，对方自会发生创痛的反应。

英国女王的丈夫菲力普亲王以大嘴无遮拦而著称于世。他总是在大庭广众之下出语伤人。

有一次，菲力普亲王去英格兰北部的索尔福德大学参观。在那里，菲力普亲王和十几岁的小胖子安德鲁交谈上了。安德鲁告诉亲王自己长大后想坐火箭上太空的远大理想。安德鲁和其他在场的人都原以为亲王会说一些鼓励的话，不料，亲王却给他大大地泼了一头冷水，说他应该首先减肥。

后来，安德鲁对于此事是这样说的："他对我说'如果你想坐在那里面上天的话，就应该首先减肥'。我对他那样说感到很难受，但我还是笑了一下，假装这只是一个玩笑。"

安德鲁的妈妈对自己的孩子受到了欺负感到火冒三丈，对媒体说："我真不敢相信，像他那样一个大人物竟然会说出这样令人恶心的话来。"

可想而知，菲力普亲王并无恶意的出言不逊，会给自己的形象带来何种伤害。

为避免出口伤人，说话宜三思而后"语"，不宜心直口快；宜和风细雨，不宜含沙射影。说话之前，先得考虑这样一个问题：他愿不愿意听你说话。愿意听你就说，不愿意听还是免开尊口为妙。同时，要善于换位思考，你的"金口玉言"如果是对方说给你听，你是愉悦还是心生不快？如此，便会渐渐改掉这种不受欢迎的毛病。

德国军队向来以纪律严明著称。在一本德国老兵的回忆录中，有条耐人寻味的军规：一名士兵可以检举同伴的错误，被检举人也有权反驳。但如果长官发现检举和反驳的士兵曾在近期发生过冲突，那么两个人都会受罚。发生过冲突的人至少要等一周，等情绪完全冷静下来，才可以告对方的状。

永远不要在盛怒之下出口伤人。人在愤怒的时候，头脑处于极度不理智的状态，说话也往往不假思索，不顾后果。一定要做到凡事三思而"说"，千万不要不经过思考就下结论、乱说话，让局面变得难以收场。

这样表达最有效

不要以为在别人冒犯你时，你可以出言不逊作出回应。这是一种不理智的行为，只能会使情况越来越恶化。

第五章
批评有分寸：教你怎么说话不伤人

批评给人的印象通常是消极的，可大多数人总想通过消极的批评达到积极的效果，这当然非常困难。尤其是尖酸刻薄、言辞激烈的批评，更让人难以接受。反之，有技巧、有分寸的批评却能变消极为积极，让人容易接受，焕发热情。

及时沟通协调，才能实现共赢

在工作协作的过程中，我们经常会遇到各种各样的障碍。拨开这些障碍所散播的迷雾，我们会发现，其实在很多情况下，是我们并不清楚合作方想要的到底是什么。如果我们无法满足对方的需求，就容易使问题复杂化。

霍利的部门负责策划和组织一项大型活动，其中大量琐碎的工作需要某个部门来协助。然而，双方在事前沟通的时候遇到了很多障碍。那个部门的负责人既不说不给支持，也不说给予支持，而是不断地诉苦，说部门里面的人手本来就不够用，现在的工作也很繁杂。

霍利对此很纳闷。他想，既然这位同事这么为难，那他为什么又不明确拒绝呢？后来，通过搜集来自第三方的信息，霍利终于搞清楚了，原来那位负责人只是希望自己能够出现在主办方的名单里，仅此而已。

原因找到了，问题也就迎刃而解了。

其实，无论你处在什么工作岗位上，首先要与同事多沟通，因为你个人的视野和经验毕竟有限。况且，随着社会分工的越来越细，这种沟通协调也是必需的。

当然，同事之间有摩擦是难免的，即使是一件事情有不同的想法，我们也应具有"对事不对人"的原则，及时有效的调解这种关系。不过从另一角度来看，此时也是你展现自我的好机会。用成绩说话，真正令同事刮目相看。即使有人对你有些非议，此时也会"偃旗息鼓"。当然有了成绩，也不应滋生骄傲的情绪，好像觉得"高人一等"。我们应该意识到：工作中要有一种团队合作精神，成绩是大家共同努力的结果。

　　同事是我们职业生涯中的重要顾客之一。不少人把同事当成可有可无、无关紧要的人来对待，也实在是一个大错误。当你心情不好的时候，当你遇到难题的时候，当你遇到危机的时候，当你需要帮助的时候，同事是你不可或缺的伙伴和依靠。再者，人生在世而有机会能够在一起相处共事，实在是一种缘分，自应善加珍惜。

　　你对别人是否出自真诚的关心，迟早会被别人所洞知。何况关心也并不需要你付出多大的力量或使对方得到什么好处。其实，有时一句嘘寒问暖或关怀问候的话，也会令人受用不尽，赢得同事的接纳与好感。

　　人既然是因为有缘才相聚，同事遭遇困难时，你应尽一己之力，为其排忧解困。助人是换取别人助你的先决要件，同时也是建立良好人际关系的基础。

　　在与同事相处互动中，难免会由于不同意见、观念或利害冲突而争辩。不过要懂得心平气和、理直气柔的道理，且能自己适时退让一步，以消弭无意的纷争，确保互动关系不会遭到破坏。因为口舌争辩是没有胜利者的，即使你能说得对方哑口无言，对方也会因自尊心受损而怀恨在心，即使赢了也是输。

　　在平时工作中，与同事相处，要相互欣赏、相互理解、相互信任，而不能相互瞧不起，相互不买账，相互抬杠子，甚至对方反对的我就拥护，对方拥护的我就反对，这些都不是职业人的职业表现。

　　既然是同事，就是说大家要一起做事。那么与人合作，就必须知道对方想要的或者所期望的是什么，能满足的就要认真满足；如果不能满足，就要采取相应措施予以弥补。

　　每一天甚至每一件事，我们都有跟其他人合作的可能。和谐顺畅的合作关系当然是我们所期待的。但是，如果我们觉察到合作中出现了某些问题，就需要高度重视了，因为很可能是合作方想要的东西我们没有满足。

　　在我们寻求同事协助的时候，如果遇到了障碍，你首先应该做的就是马上去了解对方想要什么，然后想办法满足，要让对方知道他很重要。

人与人之间、同事之间要常沟通信息，这样才有利于团结。一个优秀的企业，强调的是团队的精诚团结、密切合作，因此同事之间的沟通十分重要。同事之间要想沟通好，必须开诚布公、相互尊重。如果不能敞开心扉，藏着掖着，话到嘴边留半句，那还是达不到沟通的效果。

然而，同事之间最容易形成利益关系，如果对一些小事不能正确对待，就容易形成沟壑。日常交往中我们不妨注意把握以下几个方面来融洽关系，建立良好的沟通基础。

（1）以大局为重，多补台少拆台

同事之间由于工作关系而走在一起，就要有集体意识，以大局为重，形成利益共同体。特别是在与外单位人员接触时，要形成"团队形象"的观念，多补台少拆台，不要为自身小利而损害集体大利，最好"家丑不外扬"。

（2）对待分歧，求大同存小异

同事之间由于经历、立场等方面的差异，对同一个问题往往会产生不同的看法，引起一些争论，一不小心就容易伤和气。因此，与同事有意见分歧时，首先不要过分争论。客观上，人接受新观点需要一个过程，主观上往往还伴有"好面子""好争强夺胜"等心理，彼此之间谁也难服谁，此时如果过分争论，就容易激化矛盾而影响团结。面对问题，特别是在发生分歧时要努力寻找共同点，争取求大同存小异。实在不能一致时，不妨冷处理，表明"我不能接受你们的观点，我保留我的意见"，让争论淡化，同时不失自己的立场。

（3）在发生矛盾时，宽容忍让，学会道歉

同事之间经常会出现一些磕磕碰碰，如果不及时妥善处理，就会形成大矛盾。俗话说，冤家宜解不宜结。在与同事发生矛盾时，要主动忍让，从自身找原因，换位为他人多想想，避免矛盾激化。如果已经形成矛盾，自己又的确不对，要放下面子，学会道歉，以诚心感人。退一步海阔天空，如有一方主动打破僵局，就会发现彼此之间并没有什么大不了的隔阂。

这样表达最有效

现代工作关系的最佳合作方式就是共赢，要想达到双方的共赢，就必须找到所谓的共赢点，这个点的关键就是首先知道对方想要的是什么，也就是把对方想要的作为共赢点。

批评是一门艺术，怎么悦耳怎么说

春秋时期，楚庄王的一匹爱马死了。他非常伤心，下令以上等棺木装殓，行大夫礼节厚葬。文臣武将纷纷劝阻，却无济于事。最后，楚庄王说："谁敢再劝阻，我就杀死他。"

优孟知道后，直入宫门，仰天大哭。楚庄王不知道他葫芦里卖的什么药，迫不及待地问是怎么回事。

优孟说："这匹死去的马是大王最喜欢的。楚国堂堂大国，却要以大夫的礼节安葬它，太寒酸了。"

庄王听到优孟不像群臣那样劝谏，而是支持他的主张，不觉喜上心头，很高兴地问："照卿看来，应该怎样办才好呢？"

"依我看来，请用君王的礼节吧！"优孟清了清嗓子，继续说，"请以美玉雕成棺，派士兵挖掘墓穴，使老少都参加挑土修墓，齐王、赵王陪祭在前面，韩王、魏王护卫在后面，用牛羊猪来隆重祭祀，给马建庙，封它万户城邑，将税收作为每年祭马的费用。"

接着，优孟话锋一转，委婉地指出了楚庄王隆重葬马之害："让各国使节共同举哀，以最高的礼仪祭祀它。让各国诸侯听到后，都知道大王以人为贱而以马为贵啊。"

此语确是点到了楚庄王的要害。庄王恍然大悟，赶紧请教优孟如何弥补自己的过失。

优孟说："请大王用葬六畜的办法来葬马。"

于是，楚庄王听从了优孟的劝谏，派人把马交给掌管厨房的人去处理，并向大家强调，不要将此事传扬出去。

优孟因侍从楚庄王多年，熟知其性情，知道此时无论是忠言直谏还是强行硬谏，都很难奏效。以优孟地位之微，如果直陈利弊、凛然赴义，固然令人肃然起敬。但他的正话反说，从称赞、礼颂楚庄王"贵马"精神的后面，对比分明地引出了楚庄王"贱人"的行为，楚庄王也就清醒地认识到了自己的错误所在。

在别人都反对楚庄王的情况下，优孟先表示赞同，就很容易博得楚庄王的认同，觉得优孟跟自己是站在一起的，认为优孟是为自己说话，不像其他人张嘴闭嘴都是些仁义道理，明显是在拿着标尺批评自己的行为。在感情上获得支持之后，优孟又巧妙地用了夸大的手法，貌似给楚庄王提怎么更好地葬这匹马的建议，实际上是用了反讽，让楚庄王意识到自己的决定有多么不合适，让他自己醒悟过来，自然也就达到了劝解的目的。

先顺着对方的意思说，稳住人心，然后再逐渐深入，引出对方能接受的道理，这样对方就能明白自己的错误，并能接受别人的建议。

面对上司时，态度上要不卑不亢。对上级当然要表示尊重，但是绝不要采取低三下四的态度。绝大多数有见识的领导，对那种一味奉承、随声附和的人是不会予以重视的。在保持独立人格的前提下，你应采取不卑不亢的态度。

根据上级的个性来考虑谈话方式。上级固然是领导，但他首先是一个人。作为一个人，他有他的性格、爱好，也有他的语言习惯。比如，有些人性格爽快、干脆，有些人则善于沉默寡言，事事多加思考。

一些让上司不高兴、下不来台的话最好不要说。"这事你不知道？""那事我早就知道了！"这些明显带有蔑视的话，会对上司造成很大的伤害。"我想这事很难办！"这话也不要随便说。一方面显得自己在推卸责任，另一方面也显得上司没有远见，会让上司脸面上过不去。

有些话很难直接说出来，为了避免尴尬，可以从反面说起，反面的话稍加引申，就能走到反面的反面，也就是正面了。反语是语言艺术中的迂回术，是更为极端的迂回术。正话反说便是以彻底的委婉，欲擒故纵，取得合适的发话角度，达到比直言陈说更为有效的说服效果。

大多数人都认为，只要自己表现好，工作好，迟早会传到上司耳中。可惜情况不是这样，可能你工作相当出色，而上司根本不知道。因此，我们不仅要做得好，也要能说得好，这样才能得到上司的赏识。

（1）把荣耀留给上司

把荣耀留给上司，是得到上司常识的最有效方法。在公共场合指出上司的优点，有了成绩不忘告诉同事和更高的领导，这也有上司的一份功劳；开会有上司在场时，一定不要临时搬弄新资料，应事先将资料告诉上司，由他自己提出来；不要把计划书全盘托出，要保留上司发表意见的余地。总之，处处让上司感觉到他的尊严与重要。

（2）向上司传递员工情况

大多数上司都希望对部下各方面情况有所了解，如某人的母亲生病住院，某人是某天过生日，等等。上司了解这些情况后适度表示关怀，可增加员工的亲近感。需要注意的是，上司所需要了解的不是你对某人恶意攻击或揭露某人的隐私，也不是叫你向他打小报告。与上司谈到同事的时候，只能谈论同事的长处，这样才有助于你和同事之间建立良好的关系，也让上司看到你为人的正派可信。

（3）不要打听上司的隐私

上司可能会在员工下班后独自在办公室呆坐。上司也是人，在面对工作压力时同样会感到心情压抑，对家庭生活也一样会有一本难念的经。上司有时会表现出脆弱，同样希望得到别人的抚慰。如果你就此肆无忌惮地探问其隐私，甚至为其出谋划策，那就是马屁拍在马腿上了。要知道即使上司最脆弱时，他也只是寻求适度的关心，就算是一杯热茶，也足以让上司认为你是一个善解人意的好下属。你可以给上司随意讲出一个令人捧腹的笑话，开解他郁闷的心结，他会发自内心感激你。

（4）少说话，多踏实干活

尽管许多上司从不反对下级讨好奉承，但他们更喜欢那种工作踏实、作风正派的人。如果你把上司交代的每件事都办得井然有序，然后再说几句上司爱听的话，比起那些只会吹牛拍马却不干实事的人，上司更希望接近你这样的下属。

这样表达最有效

面对上司时，很多人往往觉得不知所措，总是担心说错话给自己带来麻烦。其实大可不必，面对上司时，只要把握好说话的技巧和分寸，就很容易赢得上司的重视和青睐。

批评下属有尺度，对事不对人

"小刘，你到我办公室来一趟！"销售部经理"啪"的一声挂了电话，让刚刚和同事还有说有笑的小刘一下子心惊胆战，硬着头皮走进了经理办公室。

"你这个月的销售成绩怎么这么差啊？你看看人家小马，刚来两个月的工夫业绩就飙到本月第一名了。你以为我能让你拿这么多的薪水，我就不能让别人拿得比你更高吗？再这样下去，你这个销售冠军还能坐多久？"还没等小刘开口，坐在老板椅上的经理就一顿连珠炮般地轰炸，顺便把一叠厚厚的报表扔在小刘面前。

"经理，我……我有我的解释。"小刘本想趁这个机会就此事与经理正面沟通。

"你别说了，你回去好好反省吧。我再给你一个月的机会，要是下个月你的业绩还不能提升，那我就要扣你年终奖金了。好了，你先出去吧。"经理不耐烦地摆手示意欲言又止的小刘出去。

满脸委屈的小刘无奈地走出经理办公室，回想起经理那咄咄逼人的架势，心里就窝火得厉害。自己从公司创业到现在一直风雨无阻、任劳任怨地开发新客户、巩固老客户，拓展了公司近三分之一的现有市场。客户的投诉率一直保持在全公司最低，年年被评为优秀员工。

这个月，小刘被经理分派到刚开发的新市场，客户数量不多，但与前期相比正以10%的速度扩充。再加上本月由于公司总部发货不及时，很多客户临时取消了订货单，销售额与成熟市场当然不能相比。而小马是新员工，一开始就被安排到原有的老市场，客户源稳定充分，客户关系网坚固牢靠，形势大好，自然丰收在即。小刘觉得经理只看数字不问事实，心里自然觉得委屈。

　　在案例中，经理始终没有把握好批评的尺度，而是站在一个家长式的角度，指手画脚、态度蛮横，不容下属解释就以纯粹的业绩量来形成上级对下属的评价。

　　作为一名领导，经常会面对一些较为棘手的问题。批评是管理的有效方式之一，然而批评也有其方法和技巧。很多领导的批评听起来很中听，下属即使心里难过，可还是会感谢对方的善意。这就是因为他们的批评讲究了分寸、把握了尺度，使批评听起来不那么刺耳。

　　如果想要使你的批评让下属容易接受，那么你需要掌握以下批评原则。

　　（1）批评要具体

　　没有人愿意接受不明不白的批评，所以管理者在对下属进行批评时一定要具体。管理者要让下属明白是什么事情需要批评，批评的原因又是什么。在批评时，管理者最好能与下属一起分析事情的原因。有时，下属会强调是由于其他客观因素造成的后果，与他本人无关。遇到这种情况，管理者不应一概否定下属的观点，应该从多方面帮助下属进行认真分析，让下属弄清楚问题的关键在什么地方。

　　（2）批评要善意

　　如果管理者的批评不是善意的，那么批评只能成为下属与管理者冲突的导火索。真诚往往最能够打动人。谁愿意犯错误呢？特别是当事人内心已经很自责时，他们更加需要别人的心理支持。

　　（3）批评要公正

　　在批评之前，管理者最好能够对事件的过程进行认真而细致地调查。为了防止万一，在批评下属之前，应该让下属仔细地再将事情的经过复述一遍，并让他谈谈个人的看法。有时，你会通过下属的谈话发现一些你以前可能没有注意到的问题。如果这些问题没有得到解决，就不应该急于对下属进行批评。

另外，当事件涉及几位下属的时候。管理者应注意对相关的下属都要进行相应的批评，而不是仅仅只批评其中的一个。如果批评有失公平，会引起被批评下属的强烈不满，甚至会产生对管理者的不信任。

（4）批评要及时

在发现下属有错误时，要速战速决，立即采取行动。随时发现，随时批评，不要拖延，如果不这样做，下属就会想："我一直都是这样做的，怎么你过去就没有批评我呢？"这容易让对方产生种种猜测，以为是另有原因，以致产生不必要的隔阂，而为以后的工作带来阻力。

（5）批评要因人而异

如果明明知道某个下属的性格较为冲动，就不要过分批评他，而应该心平气和、语重心长。如果有的下属性格温和稳重，则可以顺应他的性格，娓娓道来。一句话，就是你的风格应该尽量迎合沟通对象，与他合拍。一个很自卑的人犯错时，我们给予适当的安慰会胜过千言万语，因为他本身已经非常自责了；对于一个很爱面子的人，我们一边批评一边给其下台阶，他会及时纠正自己的失误；而对于一个心服口不服的人，我们没有必要死抓不放，重要的还是看他的行动。

（6）批评要点到为止

妙语精言，不以多为贵。批评人时话不在多，而在精妙。言语精练，往往能一语中的，使听者在短时间里获得较多的信息。一语道破，使对方为之震动，幡然醒悟。如果拖泥带水、东扯西扯，会让人不得要领，如在云里雾里，就达不到批评的目的了。当你发表意见、指出对方的错误时，不要滔滔不绝讲个不停，使对方没有时间和机会来思考你所提出的意见，这样不但啰里啰唆让人生厌，还会让人觉得自己没有受到尊重。

这样表达最有效

几句话就能说清楚的，不要絮絮叨叨，点到为止。一次批评已经奏效的，不要再次提起，适可而止。

忠言未必逆耳，暗示批评深入人心

在柯立芝任美国总统期间，他有一位漂亮的女秘书，人虽长得不错，但工作时却经常出错。

一天早上，看到这位秘书走进办公室，柯立芝对她说："今天，你穿的这身衣服真漂亮，正适合你这样年轻漂亮的小姐。"

柯立芝的话让秘书受宠若惊。

接着，柯立芝说："但是，你也不要骄傲。我相信，你的公文也能处理得和你的人一样漂亮。"

从那天起，女秘书在工作中就很少出错了。

一位朋友知道了这件事，就问柯立芝："这个方法很妙，你是怎么想出来的？"柯立芝说："这很简单，你看见过理发师给人刮胡子吗？他要先给人涂肥皂水，为什么呢？就是为了刮起来使人不痛。"

忠言不必逆耳，良药不必苦口。人们津津乐道的逆耳忠言、苦口良药，其实都是笨人的方法。硬碰硬有什么好处呢？说的人生气，听的人上火，最后伤了和气，好心换来了冷漠，友谊变成了仇恨。所以，有些话不能直接说，尤其是逆耳的忠告。当需要指出别人错误的时候，不妨拐一个弯，用含蓄的方式来告诉对方，曲折地表达自己的意见和建议。先表扬后批评就是一个很好的迂回之策。

我们在劝慰和批评别人的时候，总是要加上一句"忠言逆耳"，好像除了伤害别人才能帮助他之外我们无计可施。其实，即使是批评，也可以用动听的话，用巧妙的方法，并不一定非要"逆耳"，这就要看你高超的口才技巧了。俗话说："好语一句暖三秋，恶语相向六月寒。"好听的话，总是易于被人接受；而逆耳的话，总是引起人的反感，这是人之常情。谁不喜欢听悦耳动听的话呢？

指责别人的错误时，要注意说话的方式，完全可以在不伤及他人面子的条件下，提出自己的意见或劝告，在温和的气氛中收到良好的效果。

用意非常明显的批评总是让人不愉快的。那么何不把批评转化为一种建议呢？这样既能避免对方的反感情绪，又能向对方传达自己的善意。

批评不能不顾时间、场合以及对方的性格、心理，就直截了当、劈头盖脸、冷言冷语，这样根本达不到批评的目的，甚至有人即使意识到自己的错误也会被你的态度激怒，从而强词夺理、拂袖而去，弄得不欢而散。

如果别人的不足和过失没有那么严重，完全没有必要一本正经地进行批评，你完全可以把这种"指出缺点"的活儿变成"鼓励优点"的好事。

把"怎么搞的？你就不能再小心点嘛！"变成"很好！你做得比以前进步多了！"把"你又把烟灰到处乱弹！我都说你无数次了！"变成"你有一次把烟灰倒进烟灰缸里，我觉得那天我连桌子都不用擦了，好干净。继续努力哦！"

被批评的人在反驳批评的时候经常会说"你站着说话不腰疼"，意思就是说我的处境你没有经历过，所以你不理解我的感受，换了你是我，你还不一定做得比我好呢。

这是十分常见的心理。对此，我们可以让自己设身处地站在对方的立场上来说话，这样的批评显得非常有人情味，让人有被理解的感觉，也更容易接受批评。

对一些自尊心较强的人，不适合直接批评，那就进行暗示批评，就是不直接挑明事情的端倪，委婉地对对方的缺点不足进行批评。适时采用这种批评方式，常常能收到"润物细无声"的效果。暗示性批评有益于保护别人的自尊心，运用得当定能收到良好的效果。

对需要批评的一方，要讲道理、分析利弊、动之以情、晓之以理、循循善诱，使对方能从内心里认识到自己的错误。

这样表达最有效

轻微批评就能达到目的的，不要讲重话训斥。小范围内批评能解决的，不要扩散到大范围。对方因为面子问题而心服口不服时，没必要继续纠结，可约定改日再沟通。

隐晦点拨，避免与人正面交锋

伟大的艺术家米开朗琪罗来到佛罗伦萨后，要用一块别人认为已经无法使用的石头，雕出手持弹弓的年轻大卫。

工作进行了几天后，索德里尼进入了工作室。索德里尼自以为是行家，在仔细地"品鉴"了这项作品后，站在这座大雕像的正下方说："米开朗琪罗，你的这个作品诚然很了不起，但它还是有一点缺陷，就是鼻子太大了。"

米开朗琪罗知道索德里尼的观视角度不正确。但是，他没有争辩，只是让索德里尼随他爬上支架，在雕像鼻子的部位开始轻轻敲打，让手上的石屑一点一点掉下去。表面上看起来他是在修饰，但事实上他根本没有改动鼻子的任何地方。经过几分钟后，他说："现在怎么样？"

索德里尼回答："现在才是最完美了。"

索德里尼是米开朗琪罗的赞助人。米开朗琪罗冒犯他没有任何意义，但如果改变鼻子的形状，很可能就毁了这件艺术品。对此，他的解决办法是让索德里尼调整自己的视野，让他靠鼻子更近一点，而不是让他意识到自己的错误。

米开朗琪罗找到一种方法，原封不动地保住了雕像的完美，同时，又让索德里尼相信是自己使雕像更趋完美的。通过行动而非争辩，米开朗琪罗实现了没有人遭到冒犯，而自己的观点也得到证实。

与人交谈时，有的人会把彼此的沟通看成是一种竞赛。如果观点不一样，在他看来，就是在挑战，一定要分出个高下。如果一个人常在他人的话里寻找漏洞，常为某些细节争论不休，或常纠正他人的错误，借此向人炫耀自己的知识渊博、伶牙俐齿，那么他一定会给人留下深刻的印象，不过那是不好的印象。

为了与他人有更好的沟通，这种竞赛式的谈话方式必须被舍弃。当你采用一种随性、不具侵略性的谈话方式时，别人就比较容易听进去，而不会产生排斥感。

只有沟通，双方或多方才能知情，才能信息对称，进而达到认识一致，目标同一，同心同德。在沟通中取得理解，在理解中形成共识，在共识的基础上实现统一，沟通才能收到事半功倍的效果。

当和别人的立意或观点有冲突时，若是立刻反问，就等于完全不接纳对方；若与对方进一步讨论，实质上还是在挑战对方的建议，但对方的感受却会好很多。

如果沟通时不得不对对方的立场提出质疑时，在提出问题之前一定要至少稍微解释一下，你为什么提出这样的问题。这样可使你的问题的尖锐性降到最低。

每个人的生活习惯有所不同，因为我们的家庭环境以及成长过程不尽相同。不要勉强别人来认同自己的习惯，同时，也要体谅和宽容别人的习惯。

一对小夫妻经常为吃苹果发生口角。有一次，他们竟吵到邻居的老大爷家去断是非。

事情的起因是这样的：女的怕苹果皮上沾了农药有毒，一定要把果皮削掉；而男的则认为果皮有营养，把皮削掉太可惜。

老大爷对女的说："你先生这么多年都吃没削皮的苹果，还好好的，并没死，你担心什么？"接着，老大爷又对男的说："你太太不吃苹果皮，你嫌她浪费，那你就把她削的苹果皮拿去吃掉，不就没事了！"小夫妻茅塞顿开。

很多时候，只要站在对方的角度想问题，推己及人，矛盾就会减少，生活也就会更加美满幸福。

与人争高下，你的名声将会受到损害。你的竞争对手会立即想尽办法挑出你的毛病，让你声誉扫地。许多人在与他人结为对手之前一直都有着良好的声誉，而一旦反目成仇，对方就会重新挖掘出深埋的耻辱以及过去的污名。人们的所作所为，除了徒然得罪他人，报一箭之仇以外，往往毫无益处。

尽量不与人争辩，巧妙地把事情做得妥帖，这才是高手。双方争得面红耳赤时，即使你胜利了，又有何益？

建筑师雷恩为西敏斯特市设计了富丽堂皇的市政厅。市长在二楼办公。但是，他担心三楼会掉下来，压倒他的办公室。于是，他要求雷恩再加两根石柱作为支撑，加固房子的结构。雷恩很清楚市长的恐惧是杞人忧天，但是，他还是建造了两根石柱。为此，市长感激万分。

多年以后，人们才发现这两根石柱根本没有顶到天花板。雷恩这位杰出的建筑师为了满足市长的要求，就按照他说的做了，并没有和他争辩。雷恩知道争辩是没有用的。实际上，多出来的两个柱子对雷恩的设计艺术也没有影响，相反，当人们看到这两根柱子的时候，更加赞赏雷恩了。

一个人的行动必须随着周围状况的变化而改变。争辩不能为自己赢得荣耀，反而会带来更大的损失。有些人表面上赞同你，实际上却在背后辱骂你。

争辩不能起到任何作用。当人们面红耳赤地争辩时，说起话来就会不管不顾，也忘了是否会伤害对方。如果和你争辩的人是多年的挚友，那么，为一时的争执而失去一个好朋友的损失就太大了。

你可能在年龄、地位、才能、经济状况等某一方面，比对方略胜一筹，这是很好的交际优势。但是，我们若在交际中胡乱使用交际优势，便会给交际造成障碍。

在人际交往中，不以自身的交际优势自居，时时处处表现出谦虚恭谨的美德，把自己放在与对方对等的位置，甚至甘愿坐下手位，势必会博得对方敬重，赢得对方好感。相反，占尽先机而后快的人往往为人们所不齿。

这样表达最有效

避免与人争高下，巧妙地把事情处理好，你才会赢得更好的人缘，这是与人沟通的技巧。

一味争高下，只会得不偿失

生活中，很多人总喜欢争一个高下，似乎不争赢就没面子。其实，有时虽然你争了所谓的道理，却可能失去更重要的东西。

颜回是孔子的得意门生，不仅爱学习，还具有很好的德行。有一天，颜回上街去办事，见到一家酒馆前面围满了人。他上前一问，才知道是买酒的跟卖酒的发生了纠纷。

只听买酒的人大叫大嚷："三八就是二十三，你为啥要我二十四个钱？"

颜回走到买酒的面前，施一礼说："这位大哥，三八是二十四，怎么会是二十三呢？是你算错了，不要吵啦。"

买酒的仍不服气，指着颜回的鼻子说："谁请你出来评理的？你算老几？要评理只有找孔夫子，错与不错只有他说了算！走，咱找他评理去！"

颜回说："好。孔夫子若评你错了怎么办？"

买酒的说："如果我错了，输我项上人头。要是你错了，怎么办呢？"

颜回说："如果我错了，我把我头上的帽子送给你。"

二人互不服气，一同找到了孔子，将情况向孔子复述了一遍。孔子对颜回笑笑，说："三八就是二十三哪！颜回，你输啦，把帽子取下来给人家吧！"

颜回一向对老师特别尊敬。他听到孔子说他错了，虽然心中很不情愿，但仍然老老实实地摘下帽子，交到了买酒的手上的。但颜回只是表面上服从，心里却认为老师老糊涂了，并不想继续跟孔子学习下去。

第二天，颜回就借故说家中有事，要请假回去。孔子明白颜回的心事，但他并不说破，只是点头准了他的假。颜回临行前，去跟孔子告别。孔子要他办完事即返回，并嘱咐他两句话："千年古树莫存身，杀人不明勿动手。"

颜回回答一声"记住了"，便转身而去。

就在回家的路上，突然乌云密布，雷声大作，于是颜回躲进路边一棵树干中空的古树，猛然记起孔子的话，赶快从空树干中走出来。说时迟那时快，一个响雷迅即把古树劈个粉碎。

颜回惊险逃过一劫，连夜赶回家里，他不想惊动熟睡的家人，就用随身佩带的宝剑拨开门栓。进了屋里，发现床上睡了两个人，一时怒从心起，正要举剑砍人，又想起孔子"杀人不明勿动手"的告诫，于是放下利剑，点灯一看，床上睡的是妻子和妹妹。原来，电闪雷鸣的夜晚，两人作伴壮胆呢。

颜回大惊，不等天明就迫不及待的赶了回去，一面向老师忏悔，同时感谢老师的话救了自己、妻子及妹妹三个人的命。

说完之后，颜回还是忍不住问道："老师，三八到底是二十三，还是二十四呢？"

孔子反问："那么你说，到底是人头重要？还是帽冠重要呢？"

"当然是人头重要。"

孔子说："这就对了，如果我说三八是二十三，你输的只不过是一顶帽冠；如果我说三八是二十四，他输的可是一颗人头呢！"

颜回这才恍然大悟。从这以后，孔子无论去到哪里，颜回再没离开过他。

大多数时候，我们都是为一些没必要的事情争高下。争得头破血流得了胜、出了头，又怎么样？

枪打出头鸟。如果一个人处处争强好胜、表现自己，就会在无形中给他人造成压力。所以，在人际沟通中，适时适度地主动示弱是强者谦逊的体现。因为，嫉妒心理是人的天性。而适度的示弱能使处境不如自己的人保持心态平衡，有利于人际交往。

有一个木材加工厂，厂长规定每个工人每个月必须加工10000块木材，完不成的工人只能拿一半的工钱，而如果超过10000块按数量计发奖金。

一天，厂里面来了一个新工人，他在木材厂待了两天，每天加工木材600块，且做工精细，老板非常高兴，当众表扬了他。新工人就得意洋洋地说："每天加工800块我都没问题，奖金我拿定了。"

收工时，这个新来的工人感觉到一道道恼恨的目光。当他到食堂吃饭的时候，他发现他的碗筷被别人扔在了一边。这一下，他知道自己遭到了大多数人的排挤。

第三天，他有意放慢了速度，加工木材的数量接近一般工匠。老板再来检查的时候，他恳切地说："老板啊，我们在木材厂干活又脏又累，加工了9999块木材还只能拿一半的工资，这有点不太合理……"老板考虑了一下，觉得他说的也有道理，就取消了这项工资制度。

同时，他还积极地接近工友们，教他们如何提高工效，使大家都能完成定额。此后，工友们都不再嫉妒他，开始佩服他、尊敬他。现代社会是一个竞争异常激烈残酷的社会，每个人都希望自己能够脱颖而出，在人群中鹤立鸡群。但我们要注意在不同的时间、地点、场合的表现要恰如其分。

拥有大智慧的人，能够激浊扬清，容可容之事。在小事上不纠结，大事上不糊涂。这是人生的最高修养，也是人生的一大谋略。

在生活中，真正具有大智慧的人，在碰到任何事情的时候都不会自作聪明，乱发言论。相反，他们会表现得内敛，虚心求教，不耻下问。只有那些不聪明的人，或者小聪明的人，不懂得韬光养晦、藏巧于拙，结果往往因为争强好胜、锋芒毕露而处处树敌，甚至还引来祸端。

《道德经》有云：夫唯不争，故天下莫能与之争。这里的"不争"是一种心态，一种处世态度，做大事应有的一种格局。这段话充分体现了老子"柔弱胜刚强"的哲学思想。做人不要事事与人争。在我们现在所生活的大环境里，不争者更容易受到别人的嘉许和认可。不争的人，不是临阵畏缩，而是用一种更为高明的方式化解纷争，使事情向着有利于自己的方向发展。

这样表达最有效

做人不妨大智若愚，说话不妨难得糊涂。难得糊涂不是真的糊涂，而是一种智慧的表现。在生活中，倘若处处表现精明，只会让别人对你敬而远之。难得糊涂是一种豁达的人生观，一个处处精明、斤斤计较的人，一定不是一个宽容的人。

第六章
交谈要委婉：呵护对方的颜面

　　话总是说给别人听的，至于说得好不好，不仅要看话语能否适当地表达自己的思想感情，也要看别人能不能理解并乐于接受。如果你说的话别人不爱听，或者根本就是伤人的话，那么这种谈话还有什么意义呢？

说话口气别太硬，关键时刻装点"愚"

"争强好胜""不甘人下"是人的本性，要正确发挥它的积极作用，注意把它用在恰当的地方，倘若为鸡尾蒜皮的小事与别人争个你死我活，不想在言语上输给别人，这就违背了争强好胜的真实意义。

一位老师在给学生批改作文时发现，某学生竟然在作文中责骂自己。愤怒的情绪顿时充满了老师的胸间，他想找到这位同学，并严厉地批评他一顿。但这位老师转念一想，如果把该学生叫到办公室，声色俱厉地指责一番，未必会起到什么效果，反而会引起学生的反感，还可能激发一场争吵。于是，他找到这位同学后，说："同学，老师知道有时候自己做得不够好，忽略了同学们的感受，不过老师可以肯定地说，这都是为了你们好。以后，老师再有什么地方做得不好，你来告诉老师可以吗？"该学生严肃、戒备的表情顿时缓和了，对老师说："老师的做法虽然是为了学生好，但也要讲究方法，我为我的行为向您道歉。"就这样，交谈气氛一下子放松了许多，一场可能爆发的争吵，就这样被"软话"化解得一干二净了。

与人交谈过程中，无论是在言语上，还是行为上都不要表现出比别人强，否则很容易激发别人的好胜心。一旦这种情况发生了，对方势必会筑起一堵心理防御墙，对你严加防范，这对进一步交流没有任何好处。与人交谈时，如果想让对方敞开心扉与你深入交谈，最好的办法就是让对方产生一种优越感，这一点非常重要。

华盛顿特区有一位名演员，他是出名的花花公子，为他倾心的女性数不胜数，其中一位女性是这样形容他的："他在女孩子面前总表现出一副弱小无助的模样，说话时很容易触动我的'母性'本能，他经常说：'我真笨，连鞋带都系不好'，每当他这样贬低自己时，我就会凡心大动，不由自主地去接近他。他就是靠这种方法赢得女性的欢心的。"

好胜心人皆有之，若要广结人缘、扩大人际关系，就应该心悦诚服地成全别人的好胜心。否则辛苦建立起来的友谊，就很容易被人们争强好胜的心态所破坏。

生活中存在这样一种现象：很多人都喜欢"人前显贵"。凡事都要与人争个头破血流，分个高低胜负，目的是让别人知道自己的智慧有多高，显示自己是个多么有想法、多么厉害的人。

这种人只要与人搭上话，马上就针锋相对，不管别人说什么，他们总要予以反驳。当你说"是"时，他们一定要说"否"；当你说"否"的时候，他们又会说"是"了。总之，事事都要出风头，时时都想显示自己。实际上，这样的人，并不一定是才华横溢的人，很可能是胸无点墨、脑袋空空、没有主见的人。

这种与人抬杠争风的做法，并不是智者所为。凡事都想抢占上风的人，在与人抬杠时，都摆出一副不把别人逼进死胡同誓不罢休的架势，其下场不用说大家也清楚。

这样的人不知道有没有想过，虽然在口头上赢了对方，但又得到些什么呢？只不过是赢得了一些虚荣心罢了，而付出的代价，却是友谊的破裂与个人形象的毁灭，实在不值得。

与人交谈时，那些喜欢自我表现的人，在别人眼里，只是一个跳梁小丑，难成什么大器，没有人愿意与这样的人打交道。

生活中有些人常常会无理争三分，得理不让人。相反，有些人虽真理在握，却不声不响，得理也让人，显出君子风度。前者往往是生活中的不安定因素，而后者天生就具备一种吸引力，让人们心甘情愿地围绕在他的周围。

事实上，人们争论的往往是一些不值一提的小事，因为这些小事，而与人逞强争辩实在没有意义。为了给自己创造一个好的生活及工作环境，聪明人都善于退让，关键时刻充当个"愚者"，不在他人面前显露自己，变主动为被动，这样一来，不但尊重了别人，还赢得了对方的好感，真可谓一举两得，何乐而不为？

这样表达最有效

让别人舒服的程度，决定了你的人生广度。对方在愉悦之中，更容易顺顺当当地接纳你的诚意与建议。

含蓄委婉的交流方式更得人心

据说外国人来到中国，尽管汉语的听写读已经很流利了，但还是会经常陷入交流的障碍之中。他们普遍的难处是：中国人说话太委婉含蓄了。明明一张口就能说清楚的事情和道理，却喜欢旁敲侧击、左右迂回。就像舞台上唱京剧的演员，本来三两步就可以直达目的地，却偏要甩着长长的水袖，踩着细碎的莲花步，锵锵锵锵地绕个大圈子。

和京剧一样，中国人委婉含蓄的说话，也被称为艺术。外国人不理解不适应就让他们慢慢适应，反正中国人不但适应而且乐于这样，并且在某些情况之下必须这样。比如，在农村若是谁家大龄女子还未婚配，人们可不能说"她还没有找好对象"或"她还没有嫁出去"，常见的得体说辞是："她还没有动姻缘。"按照农村的说法，姻缘是天生的，因此，大龄女子未婚配和她自身的素质或其他客观原因无关，只是因为婚姻的缘分没有到而已。

除了那些约定俗成的婉语之外，在我们生活中，还不停地创造着新的婉语。在委婉含蓄、曲折迂回的声音中，人们快活地做着一种开发智力、融洽氛围的猜谜游戏。

有个老人带着儿子在镇上卖夜壶。老人在南街卖，儿子在北街卖。不多久，儿子的地摊前有了看货的人，那个看了一会儿，说道："这夜壶大了些。"那儿子马上接过话茬："大了好哇！装的尿多。"那人听了，觉得很不顺耳，便扭头离去。

走到南街，看到了老人的摊子，自言自语地说："怎么都太大了点。"老人听了，笑了一下，轻声地接了一句："大是大了些，可您想想，冬天里，夜长啊！"

一句意味深长的话，说得那人会意地点了点头，继而掏钱买货。

父子俩在一个镇上做同一种生意，结果迥异，原因就在于会不会说话。我们不能说当儿子的话说得不对，他是实话实说。但不可否认，他的话说得欠水平。而老人则算得上是一个高明的生意人。他先认可了顾客的话，然后又以委婉的话语说"冬天里，夜长啊"，这句看似离题的话说得实在是好，它无丝毫强卖之嫌，却又富于启示性，其潜台词不言而喻。这种设身处地的善意提醒，顾客不难明白。卖者说得在理，顾客买下来也就是很自然的了。

口才高手并非指那些说起话来锋芒毕露、刀刀见血的人。真正的口才高手说话张弛有度，进退适宜。或直指对方，咄咄逼人，达到震慑对方的目的；或委婉曲折，循序渐进，达到使对方心领意会的目的。

文学作品中，孙犁笔下那几位青年妇女无疑是做到这一点的典范。孙犁在小说《荷花淀》中描写几位妇女："女人们到底有些藕断丝连。过了两天，四个青年妇女聚在水生家里来，大家商量。'听说他们还在这里没走。我不拖尾巴，可是忘下了一件衣裳。''我有句要紧的话得和他说。''我本来不想去，可是俺婆婆非叫我再去看看他——有什么看头啊！'"

这几位青年妇女的丈夫都参军走了，无疑，她们的共同心理就是很想念自己的丈夫，都很想去驻地探望一下。但是，由于害羞，不好当着众人直接说出来，就各自找一个很好的托词来表达本意，她们觉得到驻地去的理由是十分充分的，非去不可。这就含蓄地表达出自己的意愿，旁人听起来也觉得有理。相形之下，直接说自己很思念丈夫，想去驻地探望一下就太露骨了，又可能引起其他比较进步的姐妹的不满。

孙犁笔下的这几位普通的青年妇女不自觉地运用了交涉中的一种很好的艺术：委婉含蓄，使对方自悟其意。

生活中，我们有时会听到有人这样评价一个人："他说话能噎死人！"这就说明说话太直接了容易使人一时难以接受，事倍功半。甚至有时我们的本意虽然是好的，但是由于说得太突然太直接了，而难以达到目的，误人误己。其实，咱们中国人对这方面还是挺注意的，比如说在我国传统的修辞方法中，就有一种"婉约"手法。求人办事说得委婉一点，含蓄一点，使对方自己领悟到那层意思，可以给双方更多地考虑空间，也容易让人接受。

杨洪是三国时期的蜀郡太守。他的门下书佐何祗出道时间短，却升职很快，居然当上广汉太守。每次朝会，杨洪都要和同为太守的昔日部下何祗平起平坐。杨洪心里有点不平衡，在一次朝会空闲，他语带嘲谑地问何祗："你的马怎么跑得这样快？"

很明显，说的是马快，但实则是指升职的速度快。

这个问题，暗藏锋芒，不好回答。老老实实地回答为什么自己的马快（马的品种好？架车的人技术好？），没什么意思，也有答非所问之嫌。那么直接把问题说开，解释自己快速升职的理由？也不好，有自以为是、自我吹嘘的嫌疑。当然，对于这类问题，完全可以糊涂视之，打个哈哈就过去了。

但何祗不同，他笑呵呵地回答："不是小人的马跑得快，实在是因为大人您没有给快马加鞭啊。"

抛开杨洪的阴暗心理不说，他的提问的确够水平。而何祗的回答更为高明，委婉地解释了自己升职快的原因是勤勉，而对方升职慢的原因是不够努力。两人的对话都很委婉，不明就里的人还真不知道话里有话。他们在委婉中完成了一场小小的交锋，却又照顾了彼此的身份与面子。

总之，委婉说话是一种策略。含蓄委婉地说话，正是为人成熟的表现。作为一个现代人，应当有这种文明意识，掌握这一有利于人际交流的语言表达方式。

这样表达最有效

真正的口才高手说话张弛有度，进退适宜。或直指对方，咄咄逼人，达到震慑对方的目的；或委婉曲折，循序渐进，达到使对方心领意会的目的。

"揭人不揭短"，为别人的短处遮羞

有这样一则流传已久的故事：康熙皇帝年轻时励精图治，做过不少大事。到了晚年，和普通人一样，头发花白，牙齿松动脱落。这本是人生的自然规律，可他心里就是不服老，犯了老年人的通病，只要听到有人说他"老"就不高兴，左右的臣子深知他的心理，特别忌讳说"老"一类的字眼，也没有谁愿意在皇上面前触这个霉头。

康熙皇帝为了显示自己仍然年轻有活力，经常率领皇后、妃子们去猎苑猎取野兽，在池边钓鱼取乐。一日，康熙带着一群妃嫔们去湖中垂钓，一会儿的工夫，鱼竿动了，康熙皇帝连忙举起钓竿，只见钩上钓着一只大金龟，心中好生喜欢。哪知刚拉出水面，只听"扑通"一声，金龟脱钩掉进水里跑了，康熙连连大叫可惜。在康熙身旁陪同的皇后赶忙安慰："看这光景，这只龟是老得没有门牙了，所以衔不住钩子了。"

此时，一旁观看的一位年轻妃子却忍不住大笑起来，康熙见状龙颜大怒，认为皇后是言者无心，那妃子却是笑者有意，含沙射影，笑他没有牙齿，老而无用。回宫后，康熙立刻下旨将那妃子打入冷宫，终身不得复出。直到此时那妃子才感到后悔，忍不住叹息："因为我不慎笑了一笑，却害了自己守寡一生，这都是我自己不知轻重，犯了皇上的大忌所带来的恶果啊！"

诚然，康熙因妃子笑话自己而给予这样的重罚，充分暴露了封建帝王的冷酷无情，但是我们可以想想，如果别人这样笑话你的缺憾，你同样也会不高兴的。每个人都是有自尊心的，总希望受到别人的尊重。

谁也不希望人们一见面就提到自己不愉快的事。人人都不愿意人家触及自己的憾事、缺点、隐私，这也是一般人所共有的心理。

为人处世中，一定要注意尊重别人，交谈时尽量避免涉及忌讳的话题，否则就会导致双方不和，给人际交往带来麻烦。

无论处在什么地位，也无论是在什么情况下，人们都喜欢听好听的话，喜欢受到别人的赞扬，希望受到别人的肯定。如果你偏偏不识相，不能读懂别人的心思，说一些不合时宜的话语，难免让人感到尴尬。

拿破仑称霸欧洲大陆时，一位科学家建议他在战船上安装发动机，用机械动力代替人力和风力。高傲的拿破仑一开始对这一"动力革命"的方案颇感兴趣。为了使拿破仑迅速做出决策，那位科学家恭维地说："陛下，如果有发动机助您一臂之力，您一定会更加高大起来……"一听这话，拿破仑脸色陡变，冷冷地说："我的战船装士兵还不够，哪有地方去装什么发动机，收起你的那一套吧!"科学家碰了一鼻子灰。

拿破仑身材矮小，特别忌讳别人提及他的身高。他从科学家说的"您一定会更加高大起来"一语推断出，别人说他现在还不够高大——矮，是在蔑视他、嘲笑他，所以，他断然拒绝了科学家的方案，错失了这个千载难逢的历史机遇。

揭短有时是无意的，可就是因为某种原因一不小心犯了对方的忌讳。不管说者有心也好，无意也罢，揭人之短都会伤害对方的自尊，轻则影响双方的感情，重则导致友谊的破裂。与人相处要善于择善弃恶，多夸别人的长处，尽量回避对方的短处。

某些时候，对方的缺点和错误无法回避，必须直接面对。当你指出对方的缺点和不足时，要顾及场合，别伤及对方的面子。这时，你就要采取委婉含蓄的说法，避免发生冲突。尤其是要注意"避人所忌"，面对别人在生活中遇到某些不尽如人意的事，最好不要主动引出有可能令对方尴尬的话题。

人不可能不犯错，也不可能一直祥光罩身。俗话说："矮子面前莫说短话。"每个人都有不太光彩的过去，或者有身体或性格上的缺陷，而这些就构成了一个人的短处。每个人的短处都是不愿意让他人知道的。与人沟通时，即便是为了对方或为了大局而必须指出对方的缺点，也要讲究正确的方法、策略，否则，不仅达不到本来的目的，还可能会惹麻烦。

在与人打交道时，我们要学会在不同的场合说不同的话。每个人都有所长，亦有所短。为人处世的成功，一个很重要的因素就是善于发现对方身上的优点，夸赞对方的长处，而不要抓住别人的隐私、痛处和缺点，大做文章。

一定要注意，不论在何种场合，都不要揭人短处，也不要伤人自尊。"打人不打脸，揭人不揭短"，要想与他人友好相处，就要尽量体谅他人，维护他人的自尊，把面子留给别人。

这样表达最有效

别人身上存在的短处，已经使他感到自卑了。你在与别人沟通时，对别人的短处乱加评点，只能使对别人你敬而远之。

懂得示弱，才能赢得更多的朋友

每个人都存在嫉妒心理。示弱能使处境不如自己的人保持心态平衡，有利于人际交往。一个人这方面突出，肯定在其他面就有弱点。社交中，不妨显示自己"弱"的一面，削弱自己过于咄咄逼人的成绩，让别人放松警惕。

地位高的人在地位低的人面前不妨展示自己的奋斗过程，表明自己不过是普通人。成功者在别人面前多说自己失败的经历、现实的烦恼，能让人产生一种"成功不易""成功者并非一举成名"的感觉。

中国有句古话："枪打出头鸟。"一个人的能力过强，过于表现自己，就会在无形中对他人造成压力。人际交往中，适时适度地示弱是一种处世之道。不管是强者还是弱者，内心其实都渴望被人需要、被人尊重。而示弱往往能让他人感觉到自身的重要，让人产生一种心理平衡，于是对示弱者产生好感。

即使是事业成功者，生活中的幸运儿，被人嫉妒也在所难免，在一时还无法消除这种社会心理之前，适当地示弱可以将其消极作用减少到最低程度。

曾有记者去拜访一位企业家，想获得有关他的丑闻资料。但让记者没想到的是，自己还没来得及寒暄，企业家就对想发起质问的记者说："时间还早得很，我们可以慢慢谈。"

等到秘书将咖啡端上来时，这位企业家端起咖啡喝了一口，立即大声嚷道："哦！好烫！"咖啡杯随之滚落在地。等秘书收拾好后，企业家又将香烟倒着插入嘴中，从过滤嘴处点火。这时，记者赶忙提醒："先生，您将香烟拿倒了。"企业家听到这话之后，慌忙将香烟拿正，不料却将烟灰缸碰翻在地。

在商场中趾高气扬的企业家屡出洋相，让记者大感意外。不知不觉中，记者原来的那种挑战情绪完全消失了，甚至对对方产生了一种同情。这就是企业家想要得到的效果。这整个过程，其实是企业家一手安排的。当人们发现杰出的权威人物也有许多弱点时，过去对他抱有的恐惧感就会消失，而且由于同情心的驱使，还会对对方产生某种程度的亲切感。

在与人的交往中，为了使别人对你放松警惕，造成亲近之感，你可以很巧妙地、不露痕迹地在他人面前暴露某些无关痛痒的缺点，出点小洋相，表明自己并不是一个高高在上、十全十美的人，这样就会使他人在与你交往时松一口气，不再与你为敌。

强者"示弱"，无论对于自己还是对于弱者，都能双双有所收获。为什么这样说呢？因为强者甘心"示弱"，以弱者的姿态行事，自然会谦虚谨慎，别人也会愿意接受，如此可令强者更强。弱者则能从中获得慰藉，心理上得到平衡，从而在心平气和中自觉地向强者学习。

真正的强者，一般都会保持示弱求存的状态，低调地处理自身的现实表现，却不断思考以获得更高的理想。这种示弱的结果，反而是自身环境状态的不断提高，方方面面获得了环境的支持。主观的示弱，客观的实现了自身强者的地位。

坦然示弱，更容易被人们所接纳，生活中我们经常看到，好强出风头的人，总不如平和谦逊的人容易得到大家的认可和信任。很多时候，暴露自己的弱点比极力掩饰自己弱点更可爱，也容易赢得他人的喜欢。坦然示弱，能为我们赢得更多的朋友。卡耐基曾说："如果你想赢得朋友，让你的朋友感到比你优越吧！如果你想赢得敌人，就时时刻刻都让你感觉到比你朋友优越多了吧！"其实，人都不是十全十美的。掩饰弱点，实际上是一种不自信的表现。在人际交往中，应该学会聆听和关注他人。适当示弱，不仅能拉近人与人之间的距离，留给对方价值空间，自己也会因真实得到更多的支持。

人们对成功者产生嫉妒，是一种天性，成功者适当地示弱可以将其消极降到最低限度。有一位年轻人在众多的竞聘者中脱颖而出，被提拔为市场部经理，但他并没有恃才傲物。他在把自己的知识、才能运用到业务中的同时，承认自己在某些方面的"无知"，经常向上司、前辈和同事请教。这种做法缩短了他与大家的心理距离，保护了他人的自尊，消除了落聘者的嫉妒和年长前辈的不满，而且给人更多的信任感，从而得到了大家的通力支持和合作。

做人应该善于示弱，也就是在自己明显占有优势的情况下，淡化自己的光芒，充分尊重别人。这样的示弱并非真正的弱小，而是一种主动把握生活的自信和从容。

这样表达最有效

如果处于强势地位，但并不给人以居高临下的姿势，而是给人以平易近人的感觉，那么你就会比较受到人们的欢迎，而这离不开你适时向他人示弱。

掌握"不"的说话艺术

不愿意听到别人的反对与拒绝，这是人之常情。口才高手们总结出一些让别人高兴地、顺利地、心悦诚服地接受"不"的技巧。

日本明治时代的大文豪岛崎藤村被一个陌生人委托写某本书的序文，几经思考后，他写下了这封拒绝的回函。

"关于阁下来函所照会之事，在我目前的健康状况下，实在无法办到，这就好像是要违背一个知心朋友的期盼一样，感到十分的懊恼。但在完全不知道作者的情况下，想写一篇有关作者的序文，实在不可能办到，同时这也令人十分担心，因为我个人曾经出版《家》这本书，而委托已故的中泽临川君为我写篇序文，可是最后却发现，序文和书中的内容不适合，所以特别地委托他，反而变成一种困扰。"

在这里，藤村最重要的是要告诉对方"我的拒绝对你较有利"，也就是积极传达给对方自己"不"的意志的一种方法。而这样的说辞，又不会伤害到委托者想要达成的动机。

通常，当我们被对方说"不"而感到不悦的理由之一，是因为想引诱对方说出"好"而达成目的的愿望在半途中被阻碍，因而陷入欲求不满的状况。所以既不损害对方，又可以达成目的说"不"的最好方法，就是让对方想委托你时，当"达成动机"被拒绝后，反而会认为更有利的是另一种"达成动机"，而只要满足这一种"达成动机"就可以了。

藤村可以说是十分了解人的这种微妙心理，所以暗地里让对方觉得"被我这样拒绝，绝对不会阻碍你目的的达成"。我们在拒绝他人时，也可以用这样的方法，让对方觉得说"不"，是对对方有好处，这不仅不会损害到对方的感情，而且还可以让对方顺利地接受你所说的"不"。

战国时期韩宣王有一位名叫缪留的谏臣。有一次韩宣王想要重用两个人，询问缪留的意见，缪留说："曾经魏国重用过这两人，结果丧失了一部分的国土；楚国用过这两个人，也发生过类似的情形。"

接着，缪留还下了"不重用这两个人比较好"的结论。其实，就算他不给出答案，宣王听了他的话也会这么想。这是《韩非子》里相当著名的故事。

这种说"不"的方法，之所以这么具有说服力，主要是因为这两个人有过失败的教训造成的，但缪留在发表意见时，并没有马上下结论。他首先对具体的事实作客观地描述，然后再以所谓的归纳法，判断出这两个人可能迟早会把国家出卖的结论，说服的奥秘就在此。相反，如果宣王要他发表意见时，缪留一开口就说："这两个人迟早会把我国卖掉"等等，结果会怎样呢？可能任何人都会认为他的论断过于极端，似乎怀恨他们，有公报私仇的嫌疑。形成不易让大家接受"不"的心理，即便他在最后列举了许多具体事实。

所以，我们向别人说出他们不容易接受的"不"时，千万不要先否定性地给出结论，要运用在提议阶段所否定的论点，即"否定就是提议"的方式，不说出"不"，只列举"是"时可能会产生的种种负面影响，如此一来，对方还没听到你的结论，自然就已接受你所说的"不"的道理了。

我们曾听说过可以负载几万吨水压的堤防，却因为蚂蚁般的小洞而崩溃的例子。最初只是很少水量流出而已，但却因为不断地在侧壁剧烈地倾注，最后如怒涛般地破堤而出。

这种方法可以适用于说"不"的技巧里，也就是说，要对不可能全部接受的顽固对方说"不"时，反复地进行"部分刺激"，最终让对方全盘地接受你的"不"。

例如，朋友向你推荐一名大学毕业生，希望在你管辖的部门谋求一个职位时，想在不伤害感情的情形下加以拒绝，这时可以针对年轻人注重个人发展和待遇方面，寻找出一种否定的理由，反复地说："我们这里也有不少大学生，他们都很有才华……""这里的福利待遇都很一般……""在这里干，实在太委屈你了……"等等，相信那位大学生听了这些话后，心里就会产生"在这里干没什么前途"的想法，再也不做纠缠，客气地向你告辞。

这样表达最有效

与人交往的过程中，我们经常会遇到很多自己不愿意做的事。这时，只要我们说出一个"不"字，也许就轻松、坦然了。

试试"兜圈子"的说话方式

以前，心直口快的人都是被人们所称赞的，因为这样的人真诚、实在。但现在这样的人已经越来越不受欢迎了，因为有时候，直言快语后其效果并不佳，轻则损害人际关系的和谐，重则会因为心无城府而造成不少的麻烦，违背言语交际的初衷。尤其是在特殊情况下，也着实不能实话直说。所以，有时有意绕开中心话题和基本意图，采用"兜圈子"的说话方式，从不相关的事物、道理谈起，却常能收到较理想的交际效果。

请看下面的两个例子：

一天，某青年教师早早回家做了一锅红枣饭。妻子下班回来，端起碗，高兴地问："这枣真甜啊，哪来的？"丈夫说乡下姨妈托人捎来的。妻子不无感慨地说："姨妈想得可真周到啊，年年捎枣来！"丈夫说："那还用说，我从小失去父母，就是姨妈把我抚养大的嘛！"妻子说："她老人家这一生也真够辛苦的。"稍停，丈夫忽然叹了口气，说："听捎枣的人说，姨妈的老胃病又犯了，我想……""那就接来呗，到医院好好治治。"不等丈夫把话说完，妻子说出了丈夫想说还未说出的话。

晚饭后，几位青年人去拜访某教授。谈到夜深，教授接着青年人的话题说："你提的这个问题很值得研究，明天我去 A 城参加一个学术会，准备就这个问题找几位专家一块聊聊。"几位青年立刻起身告辞："很抱歉，不知道您明天还要出差，耽误您休息了。"

第一个例子中，青年教师想接姨妈来城里治病，担心直接说出来，媳妇不一定会同意。于是采用了"兜圈子"的说话技巧，通过吃枣饭、忆旧情，造成一种适宜的氛围，然后再说姨妈生病，而让妻子接过话题，说出接姨妈的话。这样言来语去，自然圆满，比直说高明多了。第二个例子中，教授因为第二天要出差，想早点休息，但碍于情面，又不好直言辞客，而是巧妙地接过对方话题一兜，说出了第二天的安排，达到了辞客的目的，话语委婉得体而不失礼仪。由此看来，说话"兜圈子"，有时候确实是必不可少的，它能起到直言快语所不能起到的作用。

以上两个例子都不属于直言快语的说话方式，但说者礼貌，听者明白，也都达到了直言快语的效果。

著名语言学家王力先生也曾说过"兜圈子"是一种说话的艺术。但"兜圈子"的说话方式也不是随便哪种场合都能用的。要正确运用这种艺术，首先要善于分辨言语交际的具体情况，言语交际中兜圈子主要有如下几种情况：

（1）顾及情面，有些话不便直说，可以兜。婆媳之间、恋人之间、两亲家之间、朋友之间、客户之间等情感都是需要慢慢建立的，基础欠牢固，交往中双方都比较谨慎、敏感，言语中稍有差错，都会带来不快或产生误解、造成矛盾。

（2）出于礼仪，有些话不便直说，可以兜。中国是一个历史悠久的文明古国，素称"礼仪之邦"，具有文明礼貌的社交风尚。人们在言语交际中，十分注意话语的适切、得体。私人场合、知己朋友，说话可以直来直去，即使说错了，也无伤大雅。在公共场合，对一般关系的人，特别是晚辈对长辈、下级对上级、对待外宾，说话就要特别讲究方式、分寸。为了不失礼仪，说话就常需兜圈子。如上文第二个例子中那位教授的话，就与特定的交际场合、对象、自身的身份相称，实现了和谐沟通的目的。试想：如果直言相告明天去出差，改日再谈，虽可以达到辞客的目的，但会把对方置于较为尴尬的处境，这也有失教授慈祥、和蔼的一面。

（3）将某种事情或某个意思直接挑明，估计对方一时难以接受，一旦对方明确表示不同意，再改变态度，就困难多了。在这种情况下，为了强调事理，征服对方，就可以把基本观点、结论性的话先藏在一边，而从有关的事物、道理、情感兜起。待到事理通畅、明白，再稍加点拨，自能化难为易，达到说服对方的目的。上文第一个例子当中那位教师就是针对这种情况而兜圈子的。如果他直言接姨妈来城里治病，妻子不一定会同意。而通过吃枣饭、谈红枣、忆旧情，事理人情双关，形成了接姨妈的充分理由，水到渠成，所以不用自己讲，妻子就顺理成章地说出了他的心里话。

兜圈子在以上情况中能产生一种含蓄委婉的语言表达效果，但含蓄委婉的话却并非全是兜圈子。兜圈子更不是猜谜语、说隐语，它是曲径通幽，最终要让对方理解自己的意思，如果兜来兜去，把对方引入迷魂阵，就不好了。再者，兜圈子这种说话艺术一定要慎用，当兜则兜，不然，兜之不当，会给人啰唆、虚伪之嫌，与交际目的相悖。

这样表达最有效

多兜圈子，少碰钉子。有些话不能直言，要拐弯抹角地讲；有些人搞不清他"葫芦里卖的什么药"，就要投石问路。

第七章
好声音穿透人心：如何培养声音的"气质"

声音是一个人裸露的灵魂。心理学家认为，声音决定了你38%的第一印象，传递出你的个性、喜好、情绪、情感、年龄、健康状况等。尤其是在电话交流时，音质、音调、语速的变化和表达能力决定了你讲话可信度的85%。

音量适度，谈吐更显优雅

许多人不但在致辞或报告时喜欢拉着嗓门说话，就是日常交谈，他们的音量也特别大，甚至大到炸耳朵，使你怀疑他是不是在对别人说，还是故意大声讲话让别人听到。

如果你看四十年前的电影，八成会不习惯。因为那些演员无论动作、声音都夸张，怎么看都觉得是在"做戏"。

这多半由于他们是演舞台剧出身。早期的话剧没有无线麦克风，场子的设备又不够好，为了让整场观众听得清、看得清，演员不得不放大声音、夸张动作。

当那些演员开始演电影时，不自觉地就会把演话剧的习惯带到镜头面前。

回想一下三十年前的演讲比赛，是不是也很夸张？演讲者顿脚捶胸，拉大了嗓门喊，尤其到结尾，非要握拳高喊几句口号不可，好像不这样就没有力量、就不算结束、就不能得奖似的。

今天，演讲已经自然多了，一些领导人却没改进。糟糕的是，因为他们也像话剧演员改演电影一样，一时改不掉老习惯。

过去"上山下乡"，哪儿有麦克风、扩音器？下面聚了一大群人，这些领导人，能不拉着嗓子喊吗？

即使到了今天，也不能保证每次领导人下乡都有好的音响。如果突然聚集一群人，要他讲话，他当然还是得喊。

于是旧习惯就愈难改了，即使到了最好的大会堂、音乐厅，甚至只有几十人的小场子，明明有最好的音响设备，那些领导人仍然可能拉着嗓门说话，而且常常把尾音提得特别高。

说话要用多大的音量（也就是"音势"要多强），全得看环境。但是你也要知道，最亲切感人的语言，往往不是"吼"出来的。

有一对新认识不久的男女，在公园约会。男生对女生柔声说："我爱你!"

"高一点!"女生回答。

那男生就拉大嗓门喊："我爱你!"

那女孩真是因为男生的声音太小，要他大声表白吗？

如果把"我爱你"大声喊出来，还有情趣吗？

这样喊出来的话会给你亲切感吗？

当然不!

所以，你想谈吐优雅，说话有魅力，先得自我检讨，看自己说话的音量是不是恰到好处。

如果你讲话的声音太大，是不是经常在嘈杂环境中人讲话，习惯大声了，还是有焦躁的毛病，甚至不把音量放大就说不顺？

你要注意观察不同环境中你的邻居、朋友的谈吐和音量。

然后反思是不是无论什么场合讲话声音都很大，或一紧张、疲惫，就显得焦躁，愈说愈快愈大声，如果是请立刻改。先改变速度，再试着对近处的人小声说，对远处的人大声说，让自己的音量有变化。

这样表达最有效

以声压人，不如以德服人。除了说话的内容，说话的音量也暴露了一个人的修养。太高与太低，都是对他人的不尊重。

如何塑造好的声音形象

大约 20 年前，法国电影《佐罗》风靡中国。当时，很多中国女性之所以特别喜欢这部影片，除了佐罗（阿兰·德龙饰演）英俊潇洒的形象外，配音演员童自荣华丽而充满儒雅贵族气质的声音起了关键作用。童自荣既不是佐罗，更不是影片中的骑士，可是，即便你从来没有见过童自荣，你也会把他想象成一个帅气十足、风流儒雅的男士，这是因为声音的作用。

声音是一张人的形象名片，可以为人们预留无尽的想象空间。通过声音不仅可以感知对方的年龄、性别、职业、相貌，还可以感知性格、思想、情感和态度。在社交中，我们应该充分运用"声音形象"，让自己在社交中左右逢源、游刃有余。

不少人看过《窈窕淑女》这部电影，说的是一个卖花的乡村女孩被培养成贵夫人的故事。训练从什么开始？从语言开始，改掉她的地方俗语和口音，在留声机上一遍又一遍训练语音和语调，之后才是着装、姿态、社交礼貌等方面的训练。如果你对于自己的声音不太满意，不妨通过下面这些方法来改进你的发音。

发音训练的第一课就是呼吸训练。说话和唱歌的发音方式是相通的，一些学习唱歌的方法可以用到说话上。意大利男高音之父卡鲁索说："在所有学习歌唱的人中，谁掌握了正确的呼吸，谁就成功了一半。"气息是发出声音的动力，更是各种声音技巧的"能源"。歌唱时正确的呼吸，既不是用两肩上抬、胸廓紧张的浅胸式呼吸法，也不是用腹部一起一伏、胸部僵硬紧逼的纯腹式呼吸法，而是打开口腔用胸腔和腹腔联合运动而完成呼吸动作。

其吸气要领是：吸到肺底——两肋打开——腹壁站定；呼气要领是：稳劲——持久——及时补换。不过，要掌握好这一方法是有一定难度的，通常要经过持久的训练。

也有一些简单易行的方法，如：平心静气地去闻鲜花的芳香；突然受到惊吓时的倒吸冷气；模拟吹灰尘。还可以利用早上起床的时间做一些训练，具体方法是：

全身平躺在床上，尽力伸展身体，收缩腹部，把一只手平放在横膈膜上，将另一只手放在胸骨上，然后尽力吸气，吸气的同时说"哦哦哦"，呼气的同时说"哈哈哈"，这样练习几次，能够使气息充盈全身。然后再说出"早——上——好"，说的时候，手要能感觉到胸腔是在振动。

然后坐起，双脚紧贴地面，保持身体挺直，再说几次"早——上——好"。最后，站起来在房间里来回走动，连续说"早上好，早上好"。注意在说的时候，要对自己充满自信。

接下来是共鸣训练。人的口腔、胸腔等发音器官就像一个音箱，搭配使用得当就能发出具有磁性的嗓音。为什么有的人说话的声音穿透力特别强，即使房间里噪音很大，也能听清他在讲什么，这就是共鸣的原因。你的声音必须是通过胸腔共鸣产生的，而不是堵在嗓子眼里被憋出来的。

共鸣训练要注意对发音器官的控制练习，以达到好的音质音色。首先要练习如何张开嘴说话，而不是发声不动嘴，咬着牙齿说话。我们会注意到歌手唱歌时都是张大嘴，这样才能够清晰地唱出每一句歌词。讲话时你也应该尽力做到这一点。开始训练时，朗读以下的内容大声进行练习：

胸腔共鸣练习：暗淡　反叛　散漫　计划　到达

口腔共鸣练习：澎湃　碰壁　拍打　喷泉　品牌

鼻腔共鸣练习：妈妈　买卖　弥漫　出门　戏迷

在练习时要注意仔细体会发音时胸腔、口腔、鼻腔共鸣的感觉。

最后是吐字发音训练。强调的是对发音动作过程的控制，是一种经过加工的艺术化的发音方法，目的是要做到吐字发音准确清晰。

在培养歌手的录音室里，歌手要在一个规定的非常低的音量范围内，让人听清楚他唱的每一句歌词。吐字不清晰的人，即使声音很大，别人也听不清你在说什么，更谈不上谈吐有魅力了。

这样表达最有效

在运用声音塑造形象时，需要注意语言表达要带有真实的情感，要把生活和感悟融入声音中，把真切感受传递给你的谈话对象。

如何才能找出声音中的不足

这是一位作家的描述：一次，我在等候电梯，电梯的门"唰"地一下打开时，我的眼前一亮，面前是一个穿着时髦、长相绝佳的气质美女。我不由得睁大眼睛迟钝了片刻，恍惚之间跨进了电梯。和这样一个绝色女人共处一"室"，我感觉呼吸有些吃力。可惜几秒钟后，当电梯再次拉开，她招呼同伴走出电梯的语态和音质让我再次吃惊，语言粗俗、音质沙哑。我真为她惋惜，那么美好的感觉仅仅停留了几秒钟。

现在不少人花了很多精力在化妆、穿着上，可一开口说话却让人大失所望，声音不好听，或沙哑或尖细或做作。一般来讲，声音过细会给人柔弱、无主见的印象；声音过尖易给人心胸狭隘、不易沟通的感觉；语速过慢易给人性格优柔、魄力不够的印象；语速过快易给人急躁、做事缺乏耐性的印象；腔调做作则意味着轻浮、功利、缺乏内涵。因此，不要小看声音对人的影响，要学会管理和驾驭自己的声音。

究竟如何才能知晓自己声音的不足呢？

你需要巧妙地给声音做个"体检"，才能找出问题所在。

先用质量好的录音机或录音笔把你的声音录下来，注意不要刻意为录而录，而是收集平时日常生活中的真实声音，比如与他人交谈时的声音，你可以找个朋友聊，不过至少要半小时，也可以录些发言时的声音等，你还可以请朋友帮忙录下电话中的声音。

当你听到这些自己的真实声音后，或许不大会相信这是自己的声音。因为，我们讲话时所发出的声音不只是经过听觉器官，还会穿越脸部与咽喉引起头骨振动，声音会发生变化，所以我们通常并不熟悉自己真实的声音。

接下来，对收集到的真实声音进行分析，听听自己的声音是否过细，或过尖，腔调是否自然，辐射范围如何，声音的表现力如何，是否让人感觉很做作，呼吸的声音是否太大，说话时的停顿和语速的变化如何等等。

经过这样的声音"体检"后，你会很容易发现自己的声音存在的不足，可以有针对性地加以改进。

这样表达最有效

管理自己声音的前提是，先要清楚地了解自己声音的特点及状况，分析出不足之处，然后有针对性地训练和调整，塑造出更能提升个人魅力的声音形象。

如何让自己声音洪亮低沉

男高音的声音低沉而又洪亮，让听众们沉醉在他们美妙的歌喉中。男高音的声音，来源于他们经过训练的横膈膜。经过训练后，你也可以慢慢地把你发声时的共振点移到胸腔，这将会使别人更注意你的言语。实验已经表明，深沉洪亮的低音，再配上适时的停顿和从容不迫的态度，是最能吸引人注意力的。

而要把共振点移到胸腔的重点在于，深呼吸，并且是用横膈膜，而不是用上方的肺。所有的婴儿和动物都是使用他们的横膈膜深呼吸的，但是我们在长大的过程中却慢慢养成了浅呼吸的错误习惯。因为一些历史原因，在西方，强壮男人的形象是通过胸来呼吸的。胸腔呼吸发出的声音显得急促，并且听起来更加有攻击性。相反如果你想保持冷静，并且使声音低沉洪亮的话，你就应该用横膈膜来呼吸。

现在，为了使你的声音更低沉洪亮，你可能需要几个月的时间来进行训练。目标确实是可以实现的，只要你坚持做以下几个非常有益的练习。

·强化你用横膈膜呼吸的意识

练习用横膈膜呼吸，吸气时让腹部鼓成球状，默数 1，2，3，4，吐气时同样默数 4，3，2，1。每日至少做六次。

吸气时用横膈膜尽量深吸，吐气时尽量慢吐，保证即使你面前有一根蜡烛，你也不会吹熄它。

·共振

深呼吸，然后慢慢地发长音。当共振从胸部发出时，你应该能感到它慢慢地转移到腹部，而不是鼻子或喉咙，你的吐气应该平稳没有任何抖动。

同样深呼吸并发音，但这次想象共振点如同一个电梯一样在你体内上上下下，从鼻子到腹部。

同样深呼吸并发音，但这次依次发音标表中的所有音，直到他们听起来都是同样的音高。现在你应该能指出其中的某些音比另外一些音缺乏共振。

·说话节奏

找些东西来读，把速度控制在每分钟 400 个汉字左右。

试着在读时加入感情，加入适当的重音。一个单调的声音很快就会使人厌烦。

这样表达最有效

从容不迫的态度，低沉洪亮的声音，加上张弛有度的停顿，最能让人入耳、入心。

怎么表达柔和甜美的谈吐

俗话说："一句话能把人说笑，也能把人说跳。"一般情况下，能把人说"笑"的语言，通常是柔和甜美的。古往今来，和气待人、和颜悦色都被视为一种美德。柔言谈吐是一种值得提倡的交际方式。

柔言谈吐表现为语气亲切，语调柔和，语言含蓄，措辞委婉，说理自然。这样对方才会感到亲切和愉悦，所谈之言也易于入耳生效，有较强的亲和力与说服力，往往能起到以柔克刚的交际效果。

柔言谈吐的表达方式一般有两种。

·谦让表达法

一家瓷器店的营业员遇到一位十分挑剔的女顾客，给她拿了好几套瓷器，女顾客挑了半个钟头还没选好。营业员因顾客太多使这位女顾客觉得自己受到了冷落，于是她沉下脸来，大声指责说："你这是什么服务态度，没看见我先来的吗？快让我先买，我还有急事。"

这话真够刺耳难听的，营业员如果和她较真儿，必定会吵得不可开交。然而，营业员没有这样，他安排好其他顾客后说："请你原谅，我们店生意忙，对你服务不周到，让你久等了。"营业员的态度和话语真诚而谦让，女顾客的脸一下子红了，难为情地说："我说得不好听，也请你原谅。"

有理不在声高，并非说话有棱有角、咄咄逼人才有分量。这种谦让式表达法充满了尊重、理解和宽容，本身就产生了一种感化力，火气遇上和气，就失掉了发泄的对象，自然就会降温熄火。

·委婉表达法

当你和他人意见不合，又想坚持己见时，万万不可对他人讥讽嘲笑，横加指责。委婉地表达自己的坚定立场，会取得意想不到的沟通和说服效果。

1940 年，处于前线的英国已经无钱从美国"现购自运"军用物资，一些美国人便想放弃援英，而没有看到唇亡齿寒的严重事态。罗斯福总统在记者招待会上宣传《租借法》以说服他们，为国会通过此法成功地营造了舆论氛围。

罗斯福并未直接指责这些人目光短浅，这样只能触犯众怒而适得其反，而是妙语连珠，以理服人。他用通俗易懂的比喻，深入浅出地说明理由，点中要害，人们不得不心悦诚服："假如我的邻居失火了，在四五百英尺以外，我有一截浇花园的水龙带，要是给邻居拿去接上水龙头，我就可能帮他把火灭掉，以免火势蔓延到我家里。这时，我怎么办呢？我总不能在救火之前对他说：'朋友，这条管子我花了 15 元，你要照价付钱。'这时候，邻居刚好没钱，那么，我该怎么办呢？我应当不要他 15 元钱，让他在灭火之后还我水龙带。要是火灭了，水龙带还好好的，那他就会连声道谢，原物奉还，假如他把水龙带弄坏了，答应照赔不误的话，现在，我拿回来的是一条仍可用的浇花园的水龙带，这样也不吃亏。"

罗斯福总统援英的决心很坚决，但他没有直接表达这种强硬的态度，而是用通俗的比喻表达自己的真实想法，达到了较好的说服效果。使用柔言谈吐要注意以下事项：

首先，要加强个人的思想修养。我们知道语言美是心灵美的具体表现。一个心灵丑恶的人，语言绝不会美，有善心才有善言。

其次，柔言谈吐在造词用句和语调语气上有一些特殊的要求。比如，应注意使用谦敬辞、礼貌用语，表示尊重对方的观点和感情，以引起好感。尤其要避免使用粗鲁、污秽的词语。在句式上，应少用"否定句"，多用"肯定句"；在用词上，要注意感情色彩，多用褒义词、中性词，少用贬义词，以减少刺激性；在语气上要委婉、文雅。

这样表达最有效

声音是人的第二张脸。甜美柔和的声音很好听，坚定中正的声音也很好听。说话要保持自己的音色，扬长避短，多加练习，就可以造就更美的声音。

如何使用停顿和重音

在人际沟通的口语表现中，停顿也是一种常用的说话策略。所谓停顿，是指语句或词语之间语音上的停歇，它能使话语划分成段，使话语形式严谨、表意明了、有条不紊。因此，掌握停顿的语言技巧，将有助于提高表达能力，使语言更为准确地传达出去。

停顿有两种情况：

一是语法停顿。这是句子或分句之间的停顿。这种停顿除句末停顿外，都是表明词语间语法关系的停顿，停顿的次数不同、位置不同，词语关系就有所差别，从而句子的意义也就不一样。所以，能否准确运用这类停顿，就直接关系到意义和感情能否准确表达，如果语法停顿使用不当，有时就会闹出笑话。

某公司的经理，在一次调薪的提议汇报中提到，"在这次提议调薪中，已经升了职的和尚未升职的员工都应同时调整薪资"时，他在"尚"字和"未"字之间作了停顿，于是这句话就成了"在这次调薪中升了职的和尚、未升职的员工都应调整薪资"。听取报告的老板先是一愣，心想公司中怎么会有和尚？等到问明情况后，全场哗然。

由此可见，企业经理人一句失当的话，就会让自己的形象受损，甚至还会造成不良的影响！

二是强调停顿。这种停顿策略是说话者为了强调某个语意，或表达某种感情，而在词语或句子之间所作的较大停顿。这种停顿能引起听者的联想，进而使双方产生共鸣。

此外，强调停顿的运用也要恰到好处，一要顺乎自然。如果滥用不当，不仅会造成逻辑混乱，还会因强调过多，令人抓不住重点。

二要掌握好停顿的时间。太长或太短都会影响听众的情绪，从而弄巧成拙。

使用重音是人与人沟通过程中，为了达到准确表达目的而使用的手段。重音是指在说话时有意将某些词讲得响亮一些的现象，它主要是通过音调来表现的。

重音的使用方式有两种。一是语法重音，这是按照句法结构特点说出的重音，一般没有特殊用意。二是强调重音，这是为了突出某个语意，或表达某种强烈情感，将句中某些词语音量加大后所说出的重音。

前苏联著名戏剧家斯坦尼斯拉夫斯基说："重音就像人的食指，指示着节奏中或句子中最主要的词。"重音的所在，一般也就是说话者所要突出的重点所在。强调重音的位置不同，语意的表达和感情的强度也有所不同。例如"你听得懂吗"这个句子，如果"懂"字不重读，那么只是一般的询问，否则就变成了反问，并且还包含轻视的意味。

有一位银行高级主管和一位主任，先后对一位连续迟到两天的女职员说："你呀！怎么又迟到了？"高级主管说这句话时，把"你呀"说得又长又响，似乎重点是在强调她这个人。而主任则把"又迟到了"这几字说得较响亮，并特别在"又"字上加大了音量。然而，明明是同一句话却有两种结果，女职员听了高级主管的话，只是低着头，脸也红了。但听了主任的话后，她却反唇相讥："迟到就迟到，有什么了不起！扣全勤奖金好了。"

分析其中原因，就在于重音的位置不同，所强调的意义、表达的感情也因此出现了差异。高级主管的话，尽管有批评，但带有亲切感，从而削弱了女职员的反抗情绪；而主任的话听来就是指责意味浓厚，使人升起一股反感，心理上自然不能接受，也就导致二者的结果与反应不同了。

这样表达最有效

　　说话的停顿与重音，可以通过练习朗诵来训练。在手机上下载朗诵类的 App，录制自己的朗诵，然后跟朗诵优秀者对比，进而改进自己的朗诵水平。

第八章
肢体语言的艺术："此时无声胜有声"

　　由肢体动作表达情绪时，当事人经常并不自知，旁观者却是看得一清二楚。所以很多时候，适当运用肢体语言进行沟通，胜过花费大量口舌，起到"此时无声胜有声"的效果。

眼神是沟通中最正确的信号

在一场跑步比赛中，有三个孩子摔倒了。这三个孩子的母亲却有着不同的反应。

第一位母亲赶紧跑上去，扶起孩子，拖着孩子努力往前跑；第二位母亲看到孩子摔倒后，就大声责骂起来，批评孩子不小心、不努力；第三位母亲则默默地注视着孩子，眼睛里充满了鼓励，似乎在说："孩子，赶紧爬起来，努力往前冲!"

尽管三个孩子最终都跑到了终点，但是，三个孩子的心情是不一样的。

第一个孩子在母亲的帮助下到达了终点，但是，他内心的成就感并不强烈，对于母亲的帮助，他的体会并不深刻；第二个孩子在跑到终点后，必然会有委屈，甚至产生对母亲的不满，因为母亲在大庭广众之下责骂自己；第三个孩子是最快乐的，因为他通过自己的努力到达了终点，体验到了成功的喜悦，而促使他努力到达终点的是妈妈鼓励的眼神，他将一辈子牢记妈妈的眼神。

在倾听别人说话过程中，一定要运用好自己的眼神。要想使对方知道自己在认真听取对方的讲话，你的眼神与对方的眼神一定要保持沟通。对方讲话时，你最好与他的眼神不断地会合，不要东张西望。

眼睛盯着一件东西看，这对有些人来说有点困难。但是，如果你正在努力赢得人们的好感，并且想表示你所说的话很认真，这就显得很重要了。例如，当你走进老板的办公室要求他给你升职时，如果你的眼睛紧盯着他，而不是低着头，那么他会更认真地考虑你的请求。当你在单位陈述你的一份商业计划时，如果你用自信的眼神看着周围的人，那么大家就会更加信任你并认可你的计划。

　　理解了对方的意思时，要表现出领会的眼神；渴望得到对方的理解时，要表现出诚恳的眼神；对方说到幽默处，表现出喜悦的眼神；对方出现悲伤时，要表现出同情的眼神。耳朵与大脑是语言的接收器，眼睛则是接收后的反应器。听到别人的信息也置若罔闻、呆若木鸡，谈话的双方就无法沟通下去，所以应该及时接受、及时反应，从而吸引住说话人的注意力。

　　用眼睛和别人沟通，不仅表明你很自信，同时也表示你对别人很尊敬。当你发表演说时，眼睛要注视着对方，语气里要带有更多地强调成分，加入更多的感情色彩。如果你的眼睛看着别处或盯着地板，那就说明你对自己所说的话并不确信，或者你说的可能根本就不是事实。例如，当销售人员的眼睛炯炯有神地向客户介绍产品时，眼神中透射出的热情、真诚和执着，往往比口头说明更能让客户信服。充满热情的眼神，还可以增加客户对产品的信心以及对这场推销活动的好感。

　　俗话说："一个目光表达了1000多句话。"这句话也同样体现在职场中。在工作中，目光中除了能看出上级与下级、权力与依赖的关系外，还能揭示出更多的东西。

　　上司说话时，不看着你，这是个坏迹象。他想用不重视来惩罚你，说明他不想评价你。上司从上到下看了你一眼，则表明其优势和支配，还意味着自负。上司久久不眨眼盯着你看，表明他想知道更多情况。上司友好地、坦率地看着你，甚至偶尔眨眨眼睛，则表明他同情你，对你评价比较高或他想鼓励你，甚至准备请求你原谅他的过错。上司用锐利的眼光目不转睛地盯着你，则表明他在显示自己的权力和优势。上司只偶尔看你，并且当他的目光与你相遇时马上躲避。这种情形连续发生几次，表明面对你，这位上司缺乏自信心。

　　眼睛能作为武器来运用，使人胆怯、恐惧。常见的瞳孔语言为，在表示反感和仇恨时，瞳孔缩小，还露出刺人的目光；相反，睁大眼睛则表示具有同情心和怀有极大的兴趣，还表明赞同和好感。

俗话说："眼睛是心灵的窗户。"一个人的眼神往往最能反映一个人的内心。因此，在与客户沟通时，不但要学会从客户的眼神中来了解他们的内心，也要学会利用自己的眼神来表达自己的情意。一方面，与客户沟通时，要注意看着对方的眼睛，用眼神来与客户进行交流，显示出对他们的尊重。此外，眼神又要用得恰到好处，既不能死盯着对方，又不能让人感觉到不自在，或者使人觉得你的别有用心。

有人对你说话时，眼睛要注视着他；有人发表意见时，你的身体和脸要正对着他。无论我们和周围的人用什么方式交流，也不管表达的内容是什么，我们肯定会对那些用眼神和我们沟通的人给予更多的关注和回应。

这样表达最有效

眼睛是人与人沟通中最清楚、最正确的信号，因为它是人身体的焦点。与对方保持最直接的沟通，除了语言之外就是眼神了。

得体的肢体语言最受欢迎

俗话说："言为心声。"其实不然，因为每个人都会有意识掩饰自己，可能会说假话。而肢体语言通常是一个人下意识的举动，很少具有欺骗性。当事人下意识地以肢体活动表达出情绪，别人也可由之辨识出当事人的心境秘密。在社交场合，一个不经意的动作，都能让一个高明的对手看透你的底牌。

一个人走进饭店要了酒菜，吃完摸摸口袋发现忘了带钱，便对店老板说："店家，今日忘了带钱，改日送来。"

店老板连声说："不碍事，不碍事，"并恭敬地把他送出了门。

这个过程被一个无赖看到了。他也进饭店要了酒菜，吃完后摸了一下口袋，对店老板说："店家，今日忘了带钱，改日送来。"

谁知，店老板脸色一变，揪住他，非剥他衣服不可。

无赖不服，说："为什么刚才那人可以赊账，我就不行？"

店家说："人家吃菜，筷子在桌子上找齐，喝酒一盅盅地筛，斯斯文文，吃完掏出手绢擦嘴，是个有德行的人，岂能赖我几个钱。你呢？筷子往胸前找齐，狼吞虎咽，吃上瘾来，脚踏上条凳，端起酒壶直往嘴里灌，吃完用袖子擦嘴，分明是个居无定室、食无定餐的无赖之徒，我岂能饶你！"

一席话说得无赖哑口无言，只得留下外衣，狼狈而去。

在人际交往中，我们必须留意自己的形象，讲究动作与姿势，因为我们的动作姿势是别人了解我们的一面镜子。在人际交往中，我们可以通过别人的动作、姿势来衡量、了解和理解别人。

头部微微侧向一旁说明对谈话有兴趣，正集中精神在听。低头说明对谈话不感兴趣或持否定态度。在商务交往中，低头这种身体语言是非常不受人欢迎的。身体直立，头部端正表现的是自信、正派、诚信、精神旺盛，头部的这种姿态无疑是商务交往中的首选。头部向上表示希望、谦逊、内疚或沉思。头部向前表示倾听、期望或同情、关心。头部挺得笔直说明对谈判和对话人持中立态度。头部向后表示惊奇、恐惧、退让或迟疑。点头表示答应、同意、理解和赞许。

商务场合，应该用平和、亲切的目光语言，既不目光闪闪显得激情过度而近乎做作，又不目光呆滞，显得应酬敷衍。如果眼神发虚或东张西望，就会让对方产生一种不踏实的感觉。如果死死地盯视一个人，特别是盯视他的眼睛，不管有意无意，都是一种不礼貌的表现，会令对方感到不舒服。

盯视，在某些特定场合，是作为心理战的招数使用的，在正常社交场合贸然使用，便容易造成误会，让对方有受到侮辱甚至挑衅的感觉。"睇视"是一种不太友好的身体语言，它除了给人睥睨与傲视的感觉外，也是一种漠然的语态。"睇视"会让对方觉得你不专心、心虚，从而得不到信任。四处漫游这是一种犹豫、举棋不定的身体语言信息。斜视，表示轻蔑。俯视，表示羞涩。仰视，表示思索。正视，表示庄重。这些都需要根据场合恰当把握。

嘴巴不仅是用来表达有声语言的，也同样可以表达丰富的身体语言。嘴唇闭拢表示和谐宁静、端庄自然。嘴唇半开或全开表示疑问、奇怪、有点惊讶，如果全开就表示惊骇。商务交往中，除非是为了沟通谈判的需要，否则不要轻易出现这种嘴部动作。嘴角向上表示善意、礼貌、喜悦。商务交往中，这种身体语言特别会让对方感觉到你的真诚和善解人意。嘴角向下表示痛苦悲伤、无可奈何。嘴唇撅着表示生气、不满意。这种表情在商务场合出现，会被认为是不尊重对方的表现。嘴唇紧绷是表示愤怒、对抗或者是决心已定。故意发出咳嗽声并借势用手掩住嘴表示"心里有鬼"、有说谎之嫌。

肩部舒展说明有决心和责任感。商务交往中，这种肩部姿态无疑是对方非常希望看到的。肩部耷拉说明心情沉重，感到压抑。肩部收缩说明正在火头上。肩部耸起说明处在惊恐之中。耸耸肩膀，双手一摊表示无所谓，或无可奈何没办法的意思。

双臂交叉，用一只手握住另一只胳膊这个身体语言显示了紧张期待的心情，也是一种试图控制紧张情绪的方式。双臂交叉，两个拇指往上翘表示泰然自若，或超然度外，或冷静旁观、优越至上的信息，其中又包含着一定的防御态度。一只胳膊横挎胸前，并用这只手握住另一只胳膊这是一个人处于陌生的交际场合，缺乏自信，有点紧张不安时采取的姿态。

很多人在和别人说话时，总喜欢伸出食指，这种"一指禅"动作本意是指明方向、训示或命令。在商务场合中，如果不是指明方向，而是在和别人交谈时这么比画，就会显得缺乏修养和粗俗了。用手指轻轻触摸脖子，表示你持怀疑或不同意态度。把手放在脑袋后边，表示你有意与别人辩论。用手指敲击桌子，表示你显得很无聊或不耐烦。轻轻抚摸下巴，那是你在考虑做决定。手指握成拳头，表明你小心谨慎，情绪有些不佳。

手脚伸开懒洋洋地坐在椅子上，说明相当自信并且有些自傲，不把对方放在眼里。坐在椅子边上，说明不自信，还有几分胆怯，有随时"站起来"和中断话题的准备。除非你想表达自己的谦卑，否则如果出现这种身体语言必然会被对方轻视，从而不利于进一步的商务交往。跷起二郎腿，两手交叉在胸前，收缩肩膀说明感到疲倦，对眼前的事不再感兴趣。如果跷起的腿成一个角度说明这个人很执拗，性格刚强和好斗。如果还双手抱膝，则说明谈话结果很难预料，因为这个人不会让步，很难说服他。

双腿直伸，抖动腿部坐在别人面前，反反复复地抖动或摇晃自己的腿部，不仅会让人心烦意乱，而且也给人以极不安稳的印象。脚尖指人、双手抱腿、手夹腿间、上身趴伏等坐姿在商务交往中都会给人放肆嚣张的感觉。站立时背对对方，斜靠在其他物体上，双手平端或抱在胸前，把一只手插进衣袋，这些都是不重视对方的表现。边说话边晃动脑袋同样会给人嚣张、轻浮的感觉。站立时双腿频繁地换来换去，或用脚在地上不停地划弧线会给人以浮躁不安、极不耐烦的感觉。

读懂别人肢体语言，以便正确判断和应对很重要。把握自己的肢体语言，做一个受欢迎的人更重要。由于肢体语言是不经意的动作，所以刻意地去做，往往是做不完美的。关键在于你是否是个有知识、有修养的人。如果是，那么你的一举手一投足、一颦一笑都是得体的，受欢迎的。

这样表达最有效

了解自己肢体语言的最佳手段是将自己的动作录下视频，通过"第三方"视角来观察自己。你会发现：原来自己的肢体语言并没有自己想象中的那么好。然后，你可以有针对性地持续改进自己的肢体语言，使之更加流畅、到位。

微笑是零距离交往的明信片

史密斯是一家小有名气的公司总裁。他还十分年轻，几乎具备了成功男人应该具备的所有优点。

他有明确的人生目标，有不断克服困难、超越自己和别人的毅力与信心。他大步流星，雷厉风行，办事干脆爽快，从不拖沓。他的嗓音深沉圆润，讲话切中要害。他对于生活的认真与投入是有口皆碑的，与他深交的人都为拥有这样一个好朋友而自豪。

但是，初次见到他的人却对他少有好感，令熟知他的人大为吃惊，为什么呢？仔细观察后才发现，原来他几乎没有笑容。

他深沉严峻的脸上永远是炯炯的目光，紧闭的嘴唇和紧咬的牙关，即便在轻松的社交场合也是如此。他在舞池中优美的舞姿几乎令所有的女士动心，但却很少有人同他跳舞。公司的女员工见了他更是怕如虎，男员工对他的支持与认同也不是很多，而事实上他只是缺少了一样东西，一样足以致命的东西——一副动人的，微笑的面孔。

微笑作为一种特殊而重要的身体语言对于现代商务人士来说非常重要。商务交往中，你的客户可不想看到你愁眉苦脸的样子。相反，如果你不时地施以真诚的微笑，就可能感染他，使之愉悦并更愿意与你相处。

当微笑的时候，眼睛也要"微笑"，否则给人的感觉只能是更糟糕的"皮笑肉不笑"。"一条缝的眼睛"一定是大笑时的结果，而正常状况下至少应该是眼睛微眯，这样会令你的微笑更传神、更亲切。微笑着说"您好""是啊""嗯""我同意"等礼貌用语会让你更有亲和力。微笑要与正确的身体语言相结合，才会相得益彰。你绝不应该在微笑时还表现出一种消极的身体语言。

有微笑面孔的人，就会有希望。因为一个人的笑容就是他传递好意的信使，他的笑容可以照亮所有看到他的人。没有人喜欢帮助那些整天愁容满面的人，更不会信任他们；很多人在社会上站住脚是从微笑开始的，还有很多人在社会上获得了极好的人缘也是从微笑开始的。

如果微笑能够真正地伴随着你生命的整个过程，这会使你超越很多自身的局限，使你的生命自始至终生机勃发。

现实的工作和生活中，一个人对你满面冰霜，横眉冷对；另一个人对你面带笑容，温暖如春，他们同时向你请教一个问题，你更欢迎哪一个？当然是后者，你会毫不犹豫地对他知无不言，言无不尽，问一答十；而对前者，恐怕就恰恰相反了。一个人的面部表情亲切，温和，充满喜气，远比他穿着一套高档，华丽的衣服更吸引人注意，也更容易受人欢迎。

微笑是一种宽容、一种接纳。它缩短了彼此的距离，使人与人之间心灵相通。喜欢微笑面对他人的人，往往更容易走入对方的天地，难怪人们强调："微笑是成功者的先锋。"

罗曼·罗兰曾说："面部表情是多少世纪培养成功的语言，是比嘴里讲得更复杂到千百倍的语言。"在面部表情中，人们最偏爱的就是微笑了。我们的生活需要笑容，因为它有益于我们的身心健康。我们的工作更需要笑容，它会满足客户和所有人的希望。

微笑能表达一种良好的精神风貌，是生活的魔力棒。它能给人解除忧虑，带来欢乐。善意的微笑，对覆冰盖雪的角落是一缕和煦的春风，让人感到一股春风送爽的温暖。微笑是美的，因为它表现了许多难以言传的感情。

笑有真有假，真正的微笑是不受控制的，是从心里往外、压抑不住的高兴，是一种由衷地感到满足而喜形于色。笑的时机要恰当，并要注意选择笑的场合。该笑的时候笑，不该笑的时候就不能笑，否则会适得其反。比如，欢庆、轻松的气氛中应该笑；悲伤的场面或看望久治不愈的病人时就不该笑。

微笑是通过不出声的笑来传递信息的，不仅是人的外在表现，更是内在精神的反映。微笑不仅能让人驱走心灵的阴霾，还会让人变得友善。

有一次，一位窘困不堪的乞食者将手伸到了屠格涅夫面前。屠格涅夫找遍身上的每一个角落，什么也没有。于是，他紧紧握住乞者的手，微笑着说："兄弟，很抱歉，今天我忘记带了。"乞讨者眼里荡漾着异样的光芒，感动地说："这个手心，这个微笑，就是周济！"

温暖的微笑在人际交往中具有丰富的内涵，是自信的象征。微笑就像明媚的阳光一样，使人心旷神怡。微笑可以驱散阴云，淡化矛盾，可以化干戈为玉帛。

人生的美好就是心情的美好；人生的丰富就是人际关系的丰富。当用发自内心的微笑对待对方时，便主动地掌握了人与人之间真诚交往的尺度。如果可以用微笑开始，用微笑结尾，那微笑的价值是不言而喻的。

微笑是零距离人际交往的明信片，架起了彼此间友谊的桥梁，打开了从表面驶向心海的航线，达到了最接近的沟通交流方式。

这样表达最有效

任何人都希望自己给别人留下好感，这种好感可以创造出一种轻松愉快的气氛，可以使彼此结成友善的关系。一个人在社会上要靠这种关系才可以立足，而微笑正是打开愉快之门的金钥匙。

距离并不是越近越好

一位心理学家做过这样一个实验。

在一个刚刚开门的大阅览室里，当里面只有一位读者时，心理学家就进去拿椅子坐在他（她）的旁边。试验进行了整整80个人次。

结果证明，在一个只有两位读者的空旷的阅览室里，没有一个被试者能够忍受一个陌生人紧挨着自己坐下。

人与人之间在面对面的情境中，常因彼此间情感的亲疏不同，而不自觉地保持不同的距离。如果一方企图向对方接近，对方将自觉地后退，仍然维持一定的距离。你可以由此判断，你身边的人对你是否亲近和信任，身边的人之间相互关系如何。

打电话时，肢体语言所包含的信息是最为丰富的。有句话说得很形象："给上级打电话，声音越讲越小；给下级打电话，声音越讲越大。"旁人从其肢体语言就可以判别电话那头是谁。有的人接电话时下意识地背过身去，是不想让你听见，其实他说的每句话你都能听见。这时，你就要考虑回避，否则你就是不受欢迎的人。最亲密的友谊和最强烈的憎恨，都是过于亲近的缘故。因此，我们在人际交往中，还需要注意与人保持适当的距离。

人际关系太过亲密，会让人觉得很随便，或认为你缺乏独立生活的能力，凡事都要让别人替你思考，都要与人商量。随后，他们就会认为你没有独立的人格与尊严。人际关系太过疏远，又会让人感觉到你的傲慢、离群。有些人还会认为你瞧不起人，不喜欢与他们相处，甚至讨厌他们。

心理学家曾针对人际关系中的亲密与疏远的程度做了一项调查，得出了一个结论：男性之间一般都比较疏远；女性之间喜欢保持亲密关系；异性之间，若有爱慕之意则关系密切，否则一般较为疏远。

性格孤僻的人，多与人保持疏远的关系；性格外向的人，多与人保持亲密关系。从社会地位来看，地位高的人之间关系较为疏远，地位低的人关系则较为亲密。

人与人之间，只有保持适当的距离，才会有适当的人际关系，我们在人际交往中，也应时刻注意这个问题。保持适当的距离，真诚地提出自己的意见，彼此会更加欣赏，情谊会更加长久。合理掌握与他人的空间距离，会使我们取得意想不到的交际效果。

在非语言沟通中，空间距离可以显示人们之间的各种不同关系。我们每个人都生活在一个无形的空间范围圈内，这个空间范围圈就是他感到必须与他人保持的间隔范围。它向一个人提供了自由感、安全感和控制感。在人际交往中，当你无故侵犯或突破另一个人的空间范围圈时，对方就会感到厌烦、不安，甚至引起恼怒。

一般情况下，交往双方的人际关系以及所处情境决定着相互间自我空间的范围。心理学家曾将人际交往中的距离划为四种。

（1）亲密距离

其近范围在约 15 厘米之内，彼此间可能肌肤相触，耳鬓厮磨，以至相互能感受到对方的体温、气味和气息；其远范围在 15～44 厘米之间，身体上的接触可能表现为挽臂执手，或促膝谈心，仍体现出亲密友好的人际关系。

这种距离只限于在情感上联系高度密切的人之间使用。在同性别的人之间，往往只限于贴心朋友，彼此十分熟识而随和，可以不拘小节，无话不谈。在异性之间，只限于夫妻和恋人之间。

（2）个人距离

其近范围为 46～76 厘米之间，正好能相互亲切握手，友好交谈；其远范围是 76～122 厘米。任何朋友和熟人都可以自由地进入这个空间，陌生人进入这个距离会构成对别人的侵犯。

人际交往中，亲密距离与个人距离通常都是在非正式社交情境中使用，是与熟人交往的空间。在正式社交场合则使用社交距离。

（3）社交距离

这已超出了亲密或熟人的人际关系，而是体现出一种社交性或礼节上的较正式关系。其近范围为 1.2～2.1 米，一般在工作环境和社交聚会上，人们都保持这种程度的距离；其远范围为 2.1～3.7 米，表现为一种更加正式的交往关系。公司的经理们常用一个大而宽阔的办公桌，并将来访者的座位放在离桌子一段距离的地方，这样与来访者谈话时就能保持一定的距离。

在社交距离范围内，已经没有直接的身体接触。说话时，也要适当提高声音，需要更充分的目光接触。如果谈话者得不到对方目光的支持，他（她）会有强烈的被忽视、被拒绝的感受。这时，相互间的目光接触已是交谈中不可缺少的感情交流形式了。

（4）公众距离

这是公开演讲时演说者与听众所保持的距离。其近范围为3.7～7.6 米，远范围在 7.6 米之外。人们完全可以对处于空间的其他人装作没看到，不予交往，因为相互之间未必发生一定联系。

在现实生活中，这些距离范围并不是固定的，尤其是个人距离，是由社会规范和交流者的个性习惯所决定的，也就是说，与人们的种族、年龄、个性、文化、性别、地位和心理素质等有关。因此，在沟通中应根据不同的对象选择不同的距离。

这样表达最有效

保持人与人之间的距离，是一种交际艺术。许多人认为只要不是陌生人，就可以保持一种较为亲近的关系，还有一些人认为，人与人之间还是疏远一些较为妥当，而这些，都不是最佳的相处方法。

触摸沟通能增进相互关系

一个年轻人感到生活难于应付，打算回到老家，随行的行囊里只有最简单的衣物，还有一兜子摆脱不掉的麻烦。

在离开之前，这个年轻人做了一件事。他找到一块纸板，高举着它，站在这座城市最繁华的十字路口。纸板上写着：自由拥抱！

半小时后，一个女人走了过来。这个女人对他说，那天早上，她的宠物狗死了，而且同一天正好是她独生女的一周年忌日。在感到最孤独的这个时候，她需要一个拥抱。

于是，他们拥抱，并在那一刻露出了微笑。

触摸是一种无声的语言，是非语言沟通交流的特殊形式，是人际沟通中最亲密的动作，包括抚摸、握手、依偎、搀扶、拥抱等。

触摸行为也是一种沟通方式，能起到比言语更为有效的效果。

触摸也应得当。它是一种表达非常个体化的行为，其影响因素有性别、社会文化背景、触摸的形式、双方的关系及不同国家民族的礼节规范和交往习惯等。比如，在西方社会中，熟人相见亲吻拥抱是习以为常的事情，但在东方社会中，这种行为方式常被视为不端或有伤风化。因此，在运用触摸时，应保持敏感与谨慎，尊重习俗，注意分寸，尤其是年龄相近的异性间，应避免误会。

身体动作是最容易被觉察到的一种肢体语言，因为身体动作更容易引起人们的注意。比如，一些聋哑人通过自己的手势语言，实现了与人沟通。当你躲闪某个事物的时候，可能是感到害怕，或是厌恶；当你拥抱他人的时候，表示你对他人的喜爱、同情或是感激；当你不由自主地拍拍自己的脑袋的时候，往往代表着你有某种自责，或是懊悔情绪。

触摸是人际沟通中最有力的方式之一，因为每个人都有被触摸的需要。心理学的研究表明，人们不仅对舒适的触摸感到愉快，而且会对触摸对象产生情感依恋。如果你谈过恋爱，你会发现，你和恋人关系的进步往往取决于身体接触的一瞬间，哪怕是牵手的一瞬间，你们的情感也会发生质的变化。

每一个个体都有被触摸的需要，这是一种本能。婴儿接触温暖、松软物体感到愉快，喜欢拥抱、抚摸。比如，触摸孩子的头、手等能满足他们对爱的需求，可以转移其注意力，能给他们安全感、信任感，消除他们的恐惧心理。

触摸行为，能够传递出各种不同的信息。

（1）传递情绪信息

心理学专家研究发现，触摸能够传送五种不同的情绪：漠不关心、母亲般的照顾、害怕、生气和闹着玩。另一项研究发现，大部分的人在向另一个人致意和说"再见"时，使用触摸，而长久分别时的触摸（如握手、拥抱等）更为强烈些，使分别更富于情感。一个人触摸另一个人的肩膀，意思就是："不要感觉这个讨论是一种威胁"，或者可能是："这真的很重要"。

（2）传递地位信息

一般来说，主动触摸对方的人往往是地位较高的人，而且两人之间没有障碍和矛盾。所以，在日常交流中，大多是教授、老板、大人主动触摸学生、雇员、小孩。通常，地位低的人往往希望得到地位高的人的触摸。具有支配性个性的人或者企图显示这种支配性的人，往往主动采取触摸行为。

这样表达最有效

触摸能增进人们的相互关系。它是向他人表示关心、体贴、理解、安慰和支持等情感的一种重要方式。

表情语言也可以交流

有一次，两个人乘车外出，其中一个人很自信地说："我不用说话，也不需要有什么行动，就可以使坐在对面的这位女士让座位给我。"

说完，他便开始凝视对面那位年轻女士的眼睛。开始，那位女士回头看了一眼那个人，好像没注意。他还是一直盯着那位女士的眼睛。果然，那位女士站了起来走向后面，把位子让给了他。

表情语言是人的情绪变化的寒暑表，许多心理学家的反复试验，已经无可置辩地证明，人们的情绪变化，往往在面部上都有所表现。

当人们情绪欠佳或心怀不满时，身躯往往宁静不动，脸上表情木然，脸部肌肉动作往下；当人们心情愉快时，往往表现出活泼好动、喜形于色，甚至手舞足蹈，脸上的肌肉动作向上；当人们专心致志地思考某一问题时，往往嘴巴紧闭，身体前倾，眉毛紧锁；当人们在对某一事物表示不以为然和轻蔑时，往往脑袋稍偏，嘴角斜翘，鼻子上挑；当人们感到诧异和吃惊时，往往口张大，眼瞪大，眉挑高……

日本研究夫妻相貌的专家发现：一些成功男士的面部表情威严、睿智，而他们的妻子却庸俗不堪。这是为什么呢？原因就在于这些男士还是小职员的时候与门当户对、不可能多高贵的妻子结婚，但是婚后由于工作需要或者自身完善需要，他们每天大量地接触外来的信息，不停地追求着更高的目标；而他们的妻子却沉溺于小家庭生活，每天围着柴米油盐、锅碗瓢盆、奶瓶尿布转。久而久之，原先较相似的两个人慢慢在气质、性格、才能、智慧等方面距离逐渐拉远了。

在表情语言中，以下两种最为常见：

（1）笑容语

笑容也是一种很重要的体态语言。笑是口语交际活动中的很好的润滑剂，可以迅速缩短交际双方的心理距离，体现人与人之间融洽的关系。在谈话时我们不但要注意笑的作用，还应当力求善于笑。

要注意选择笑的时机、场合、话题，该笑的时候笑，不该笑的时候就不能笑。在欢庆的场合，在轻松的气氛中，在诚恳坦率的交谈中，应该笑；但在谈起不见好转的病情、同去世的同志的家属谈话、说起工作中的重大失误和损失时，就不能面带笑容。

在日常生活的谈话中，笑容主要是根据交谈者的关系、谈话的内容以及谈话者的性格、习惯等自然体现出来的。

笑的方式很多，可取的有微笑、轻笑、大笑等。微笑是一种不露齿的笑容；轻笑表现为上齿露出嘴巴微微张开；大笑则表现为嘴巴张成弧形，上下牙齿都可看见。

在谈话中，一般要以微笑为基调。微笑是一种恰到好处的可控性的笑容，它使人觉得和蔼、可亲、文明，是仪表的一个构成要素。微笑时面部肌肉容易控制，可以较长时间地维持笑容。笑的时候应该自然大方，得体适度。那种咧嘴龇牙的笑、嬉笑逢迎的笑、挤眉弄眼的笑、忸忸怩怩的笑，都会给人一种不愉快的感觉和不良的印象。

笑容也反映了一个人的文化修养水平。每一个人都需要不断提高文化情操的修养，使笑容反映出美好的心灵。只有发自内心的笑才能感染对方，产生呼应。嘲笑、冷笑、幸灾乐祸的笑都是应该尽量避免的。

（2）目光语

目光是一种更含蓄、更微妙、更有力的语言。确实，眼睛是人体发射信息最主要的器官。目光持续的时间、眼睛的开闭、瞬间的眯眼以及其他许多细小的变化和动作都能发出信息。眼睛传递的信息最丰富、最复杂、最微妙。

合理地运用眼神来与人沟通交流，通常有以下三种方式：

①环顾

环顾是指视线有意识地自然流转，观察全场。环顾多用在有较多听话的人的场合。运用环顾可以同所有听话者保持眼睛的接触，使每个听话人都感到你看到了他，你在同他说话，从而增强相互之间的感情联系，提高他们参与谈话的兴致。同时，这种方法还可以使说话人通过多角度的接触，比较全面地了解听众的心理反应，以随时调整自己的话题。当然，环顾要自然适度，速度应适当放慢，不能说话时眼神总是频繁乱转，那样会分散听众的注意力，还会使人感到你心不在焉、目空一切。

②专注

专注是指目光注视着对方，在有较多听众的场合，可把目光较长时间地停在某一个人脸上。说话人和听话人目光对视可以起到感情和情绪微妙交流的作用，有助于了解对方的心理及其变化。

目光专注还表现出对对方的尊重、对所说内容的重视。不能在说话时随便东瞧西看，做一些无意义的小动作，那样会使人觉得你是心不在焉，敷衍搪塞。不能在说话时总是望着天花板或是看着地面，那样会使人觉得你对谈话没有兴趣，或是不大方。也不能不断地看表，这样会使对方觉得你对谈话不耐烦，希望他赶快住口。当然，目光专注也不能死盯着对方，对不熟悉的人或年轻女性更不应如此，那样会被人认为很不礼貌。

③虚视

虚视是指目光似视非视，好像在看着什么地方、什么听众，但实际上什么也没看。这种目光一般适用于同较多的人谈话的场合。虚视的范围一般在听众的中部或后部。虚视可以穿插于环顾、专注之间，用以调整、消除环顾所带来的飘忽感和专注可能带来的呆板感。"视而不见"的虚视还可以消除说话人的紧张心理，帮助说话人集中精神思考讲话的内容。

在运用眼神时，要增强自己的控制能力，要使眼神的变化有一定的目的，表现一定的内容。热情诚恳的目光使人感到亲切，平静坦诚的目光使人感到稳重，闪耀俏皮的目光使人感到幽默，冷淡虚伪的目光使人不悦，咄咄逼人的目光则使人不寒而栗。

这样表达最有效

人的表情语言是人的心理活动的反映，人们往往有什么样的心理活动，就会产生什么样的面部表情。当我们能够灵活、积极地利用各种丰富的表情与人交流时，就会使自己的魅力大增。